L'ANXIÉTÉ

Comment s'en sortir ?

Catalogage avant publication de Bibliothèque et Archives nationales du Québec et Bibliothèque et Archives Canada

Lacherez, Laurent
L'anxiété— comment s'en sortir?
Comprend des réf. bibliogr.
ISBN 978-2-89436-328-7
1. Angoisse. 2. Angoisse - Traitement. I. Titre.
BF575.A6L32 2012 152.4'6 C2011-942338-3

Nous reconnaissons l'aide financière du gouvernement du Canada par l'entremise du Programme d'aide au développement de l'édition (PADIÉ) pour nos activités d'édition.

Nous remercions la Société de développement des entreprises culturelles du Québec (SODEC) pour son appui à notre programme de publication.

Infographie de la couverture: Marjorie Patry
Mise en page: Roseau infographie inc.
Révision linguistique: Amélie Lapierre
Correction d'épreuves: Michèle Blais

Éditeur: Les Éditions Le Dauphin Blanc inc.
Complexe Lebourgneuf, bureau 125
825, boulevard Lebourgneuf
Québec (Québec) G2J 0B9 CANADA
Tél.: (418) 845-4045 Téléc.: (418) 845-1933
Courriel: info@dauphinblanc.com
Site Web: www.dauphinblanc.com

ISBN: 978-2-89436-328-7

Dépôt légal: 1er trimestre 2012
Bibliothèque nationale du Québec
Bibliothèque nationale du Canada

Imprimé au Canada

Laurent Lacherez

L'ANXIÉTÉ

Comment s'en sortir ?

Pistes de réflexions et de solutions

Le Dauphin Blanc

Table des matières

Préface

Découvrez les secrets de l'anxiété pour mieux la comprendre et la gérer.

Bien sûr, vous souhaitez vous débarrasser de l'anxiété. Pourtant, elle est votre meilleure alliée quand vous savez l'utiliser : écoutez-la, réglez le problème sur lequel elle attire votre attention et elle s'en ira. Elle se manifeste d'abord par un inconfort, premier avertissement que quelque chose ne va pas dans votre vie, puis elle finit par se généraliser quand vous restez sourd à ses avertissements.

Le livre de Laurent Lacherez décortique tous les mécanismes d'une machine qui vous écrase et que vous pouvez pourtant mettre à votre service : l'anxiété est un système d'alarme, puisque l'essentiel est invisible pour les yeux, mais pas pour le subconscient !

Apprenez donc à comprendre cette amie que vous traitez en ennemie. Tout est dans ce livre : explications, exercices et outils faciles à utiliser.

Après la lecture de ce livre, vous ne verrez plus jamais l'anxiété de la même façon. Elle deviendra, comme elle l'est pour moi, votre meilleure alliée. Je lui fais confiance aveuglément. Elle voit mieux que moi !

Pascale Piquet

Coach de réussite et auteure du livre à succès
Le syndrome de Tarzan
(www.pascalepiquet.com)

Introduction

Se libérer de l'anxiété, ne plus vivre avec cette boule dans la gorge, ce nœud dans l'estomac, ces palpitations, ces vertiges et ces nausées, dormir paisiblement, avoir un esprit plus calme et serein : tout cela est possible !

Si, comme la majorité des clients que j'ai eu le privilège de rencontrer, à un moment ou l'autre de votre vie, vous avez reçu le diagnostic d'anxiété généralisée chronique, de troubles anxieux incurables, ou autres, vous connaissez le choc et le découragement peu utiles que cela provoque. Ce verdict sans appel, débouchant sur une médication, souvent à vie, en guise de seul remède, est une solution loin d'être satisfaisante.

C'est avec plaisir que je partage avec vous, au travers de ce livre, le fruit de plusieurs années d'expériences professionnelles et personnelles afin de vous exposer d'autres solutions à ce défi que chaque personne anxieuse cherche à relever au quotidien.

Vous trouverez au fil des pages un regard différent sur l'anxiété ainsi que plusieurs outils. Chacun d'eux est intrinsèquement vide. Particulièrement sur papier, ils ne sont que des squelettes sans vie, sans force. Par contre, mis en mouvement, expérimentés, seul, à deux ou à trois, en les adaptant, ils constituent, selon mon expérience, de précieux exercices contribuant à améliorer la qualité de vie. Ils favoriseront une meilleure conscience de vous-même, de vos pensées et de vos comportements.

C'est en vivant les notions et les exercices qui vous sont proposés que vous serez réellement en mesure d'évaluer les résultats possibles dans votre vie et d'intégrer ceux-ci. À vous de prendre ce qui fonctionne dans votre vie et de délaisser le reste. Dans cette optique, il serait fort utile d'utiliser un carnet pour noter vos réflexions et de mettre en pratique les exercices suggérés.

Au-delà de la destination à atteindre, je vous souhaite d'avoir du plaisir et de faire de belles découvertes en parcourant la route que vous offre ce livre.

Première partie

Prisonnier de l'anxiété

L'anxiété, cette ennemie, me gouverne.

Mes pensées, mes paroles, mon regard, mes actes et même mon souffle, sous son Emprise, m'obligent à fuir ou à lutter contre cette force en moi.

Toutes mes énergies dépensées pour toi ; ne faisant que te nourrir et te procurer davantage chaque jour, forme et existence.

Espoirs et attentes que des changements surviennent, pour une vie meilleure.

Ô combien la non-réalisation de celle-ci m'inquiète !

Alors, je m'ignore et m'oublie,

mon esprit se ferme aux multiples saveurs de mes rêves.

Quel espace me reste-t-il pour le plaisir ?

Et si je reprenais mon pouvoir sur ces inquiétudes...

L'anxiété a sûrement une raison d'être...

Ton exploration me conduira à ta compréhension.

Quelles que soient les facettes et ruses que tu emploies,

je m'engage à te nommer, au nom du plaisir.

Raison et amour sont mes outils,

pour t'apprivoiser ou te réduire à néant !

Et si utilité tu as, tu te révéleras mon amie.

Laurent Lacherez

1. COMMENT L'ANXIÉTÉ FONCTIONNE-T-ELLE SUR LE PLAN PHYSIOLOGIQUE ?

L'anxiété est un état d'intensité variable causé par un danger réel, hypothétique, imaginaire ou par quelque chose de répugnant.

Les mécanismes corporels assurant l'équilibre interne de l'organisme, appelé homéostasie, visent l'adaptation aux peurs en combattant le stress quotidien. Mais, en présence d'émotions intenses, survient un ensemble de changements appelé syndrome général d'adaptation. L'apparition de ce syndrome ne permet pas de maintenir l'homéostasie et produit une augmentation de la pression artérielle et du taux de glucose sanguin pour préparer l'organisme à affronter un danger. Comme le cerveau ne fait pas de distinction entre ce qui est réel et imaginaire, il s'affole et vous prépare à réagir rapidement, d'où l'apparition de symptômes physiques. En fait, le système nerveux est stimulé par les glandes surrénales qui sécrètent des hormones, dont l'adrénaline, responsable de vos sensations !

2. LE SYNDROME GÉNÉRAL D'ADAPTATION

La notion de syndrome général d'adaptation vient de Hans Selye, un chercheur canadien. En 1936, il fut le premier à décrire le stress. Il en observa trois phases caractéristiques :

1. Le stade de la réaction d'alarme

La réaction d'alarme est la phase initiale où apparaissent les premières réactions à l'agression. Chez l'humain, la réaction d'alarme est bien connue : le rythme cardiaque s'accélère, la respiration est courte et rapide et la répartition du sang dans l'ensemble de l'organisme est modifiée.

2. Le stade de résistance ou d'adaptation

Lors du stade de résistance ou d'adaptation, le corps s'adapte à l'agression, par exemple à la peur de l'ascenseur, en mobilisant ses ressources énergétiques pour faire face à la situation anxiogène de manière harmonieuse.

3. Le stade d'épuisement ou de décompensation

Au cours du stade d'épuisement ou de décompensation, le corps est débordé par le stress si celui-ci persiste et que la phase d'adaptation n'a pas fonctionné. Dans ce cas, la réaction d'alarme se produit à nouveau. Les symptômes physiques s'amplifient et dramatisent souvent la situation jusqu'à ce que cela devienne pathologique.

Il est donc évident qu'en ce qui concerne l'anxiété, le syndrome général d'adaptation est produit par les pensées et les émotions qui en découlent. Si le processus n'est pas maîtrisé, ces émotions produisent à leur tour de nouvelles pensées encore plus anxiogènes. Des émotions de plus en plus désagréables vont être vécues, et ainsi de suite, jusqu'à ce que l'organisme soit saturé et qu'il déclenche une maladie pour tenter de se soulager du stress qui s'accumule.

3. COMMENT L'ANXIÉTÉ FONCTIONNE-T-ELLE SUR LE PLAN MENTAL ?

Comme me l'a si bien dit un jour une cliente, « l'anxiété est un dérapage de l'inquiétude ».

De manière plus explicite, l'anxiété est une question de perception et d'attitude par rapport à une situation donnée. Outre le tempérament naturel de chacun, il existe un certain nombre d'ingrédients offrant un terrain fertile à l'apparition de cet état émotionnel désagréable. L'idée n'est pas ici de tous les traiter, mais plutôt de les nommer pour mieux définir les sources anxiogènes dans votre vie.

La programmation neurolinguistique (PNL) offre des outils formidables qui permettent de dégager certains modes de fonctionnement de l'esprit, ou stratégies, propres à chacun, mais possédant malgré tout des similitudes. Le cerveau est comme un poste de contrôle qui traite la réalité selon le processus suivant :

SITUATION	Je dois prendre l'ascenseur.
PERCEPTIONS et FILTRES	Voici les croyances limitantes, les souvenirs : • Tous les ascenseurs sont dangereux. • La dernière fois que je me suis retrouvé dans un ascenseur, j'ai cru que j'allais étouffer. • Petit, je suis resté coincé seul dans le noir.
INTERPRÉTATION	Voici mon langage intérieur, mes idées et mes pensées : • Je vais mourir si j'entre dans cette horreur. • Qu'arrivera-t-il si tout tombe en panne et que personne ne vient m'aider?
RESSENTI	Je commence à sentir ma respiration se bloquer, j'ai le cœur qui palpite, j'ai des sueurs, je tremble, j'ai une boule à l'estomac, ma tête tourne, mes jambes tremblent, etc.
COMPORTEMENT	Voici ma réaction, mes émotions : • Je pars, j'évite les bâtiments avec des ascenseurs. • Je prends l'escalier de secours. • Je vomis, je m'évanouis.

Voici un schéma type de traitement d'information de la réalité. Ainsi, plus vous utilisez le même chemin neurologique pour traiter certaines situations similaires, plus vous renforcez le même circuit neurologique jusqu'à ce que celui-ci devienne automatique et qu'il s'enclenche seul dès que l'élément déclencheur est perçu (l'ascenseur, dans cet exemple). À l'extrême, il est possible de ressentir de l'anxiété simplement en pensant à la situation anxiogène. C'est ce que l'on appelle la peur d'avoir peur.

4. IDENTIFIER LES FACTEURS FAVORISANT L'ANXIÉTÉ

Les différents facteurs favorisant l'anxiété peuvent s'organiser sous la forme d'un triangle :

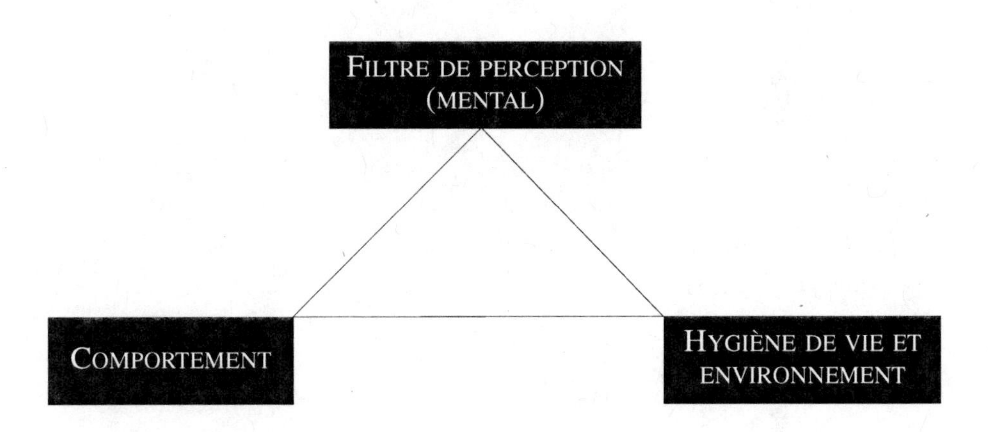

Habitudes de vie

Le corps est aussi important que l'esprit lorsqu'il est question d'anxiété. Voici quelques recommandations :

- Prendre soin de son corps en soignant son alimentation, en mangeant à des heures régulières des repas équilibrés, sains et nutritifs est important pour aider l'organisme à s'adapter aux situations stressantes.

- Il n'est pas utile ni souhaitable de manger ses émotions ou son manque d'amour.
- Il est vivement conseillé d'aider l'énergie que le corps contient à circuler, quel que soit son état de santé, en faisant de l'exercice. Il faut bouger ! Faire du sport régulièrement favorise l'évacuation du stress et permet de faire le vide de l'esprit.
- Le sommeil est essentiel. Bien dormir, se coucher à des heures régulières, consacrer un nombre d'heures suffisant à recharger ses batteries, ne pas regarder la télévision ou lire dans le lit, etc.
- Prendre le temps de vivre, de s'arrêter, de se ressourcer et de profiter de la vie. (Comme ma mère le disait, « qui ménage sa monture va loin ».)

Filtres de perception

Vous l'aurez sûrement compris, l'anxiété peut être produite par les filtres qui s'intercalent entre une situation donnée et l'interprétation qui en découle. Ces filtres prennent différentes formes. En voici quelques-uns pour vous aider à les identifier, car c'est en modifiant vos filtres que vous pourrez restaurer une interprétation de ce que vous vivez qui soit plus près de la réalité et, ainsi, élargir votre capacité à agir dans telle ou telle situation.

Les croyances

Elles sont souvent formées à la suite d'événements particuliers de la vie. Plus que des décisions, elles sont comme des vérités définies le plus souvent lors de l'enfance et permettent de donner un sens plus ou moins cohérent à ce que l'on vit.

Cela dit, les croyances peuvent aussi être héritées de parents, de la société, d'amis qui, à force de nous répéter que nous sommes nuls et que la vie est une lutte perpétuelle, finissent par nous convaincre, consciemment ou non, qu'ils disent vrai. Alors, nous appliquons ces croyances dans nos vies. Voici quelques exemples de ces croyances :

- Je dois être parfait pour être aimé.
- Je suis nul si je n'arrive pas à réaliser ce que je veux, et ce, comme je le veux.
- Je mérite ce qui m'arrive, car j'ai été méchant, j'ai fait du mal.
- Le futur est la reproduction du passé.
- Je dois tout réussir du premier coup parce que je suis un adulte.

Les empreintes émotionnelles

Imaginez un fil sur lequel vous insérez des perles. Chacune de ces perles représente une expérience que vous avez vécue et qui a laissé une empreinte émotionnelle similaire, souvent à un niveau inconscient. Le contexte de ces souvenirs peut être très différent. En fait, ils n'ont même aucune importance. Ils impriment en vous un type de « ressenti » qui s'amplifie lorsqu'une nouvelle perle est ajoutée.

Vient un moment où le collier de perles est complété. Le fil est plein. Si d'autres perles sont ajoutées, cela déborde et réveille toutes les empreintes émotionnelles, toute la chaîne de perles, dans un contexte qui, normalement, n'était pas responsable de cette émotion. Ce processus s'applique aussi bien pour des sensations agréables que pour celles qui sont désagréables. Il n'existe pas de raisons apparentes à cette anxiété, mais elle existe quand même et s'installe par l'incompréhension de ce qui se produit. Cela coupe la personne de ses capacités, de ses forces, comme si l'énergie créatrice était bloquée par un barrage.

Le travail consiste alors à défaire ce collier. En PNL, on enlève ces empreintes émotionnelles à l'aide de la thérapie de la ligne de vie. Il s'agit de travailler à déprogrammer toutes les expériences en lien avec une émotion désagréable précise et de la transformer en une force créatrice et utile à l'épanouissement. Cela désamorce donc les schémas tout en permettant d'accéder de nouveau à son potentiel.

Le langage intérieur

La manière dont on se parle à soi-même, dans sa tête, peut provoquer beaucoup de pression au point de se faire courir comme une poule sans tête. Alors, inutile d'être trop dur avec soi. Il faut plutôt faire preuve d'indulgence, de gentillesse, de patience, de persévérance, d'amour pour soi-même ! Il convient donc de surveiller ses pensées, de les habiller d'espoir, de confiance et de positivisme.

Modifier votre langage intérieur consiste à dresser la liste de vos pensées anxiogènes pour en trouver une contrepartie (voir « Construire sa stratégie antistress »). Soyez déjà conscient des formulations ou des termes absolus que vous utilisez, comme *il faut que*, *je dois*, *toujours*, *tout le monde*, *jamais*, et employez davantage des termes relatifs, comme *souvent*, *quelquefois*, *je préfère*, *j'aimerais*, *peut-être que*, etc. En favorisant un langage plus souple, vous laissez de l'espace pour accueillir la nouveauté et l'imprévu en éveillant votre curiosité.

Les comportements

Ici, les comportements sont la capacité à agir, à faire des gestes concrets tout en faisant preuve de souplesse, de flexibilité, compte tenu du contexte. Les comportements reflètent l'attitude quant aux événements et à la manière de les percevoir.

Dans ce cas, on développe de nouvelles habitudes, on essaie de nouvelles choses en conservant ce qui fonctionne bien, ce qui procure du bien. On modifie les comportements qui nuisent ou qui ne donnent pas les résultats escomptés. C'est un peu la politique suivante: « Plus je fais la même chose, plus j'obtiens le même résultat. » Ainsi, on est stressé dans son travail, car on ne parvient pas à respecter les délais. On doit donc agir pour mieux organiser ses actions, définir ses priorités, utiliser un calendrier.

Visualiser les comportements que vous aimeriez avoir est utile pour en développer des nouveaux. Précisez ce que vous faites, dites et «ressentez», de manière à rendre votre visualisation la plus réaliste possible en croyant que vous faites réellement ce que vous visualisez et que vous en êtes déjà capable !

5. HYGIÈNE DE VIE

Dis-moi ce que tu manges et
je te dirai qui tu es.
Anonyme

Aussi évident que cela puisse paraître pour la plupart, il est parfois bon de se faire rappeler quelques règles fondamentales à une bonne hygiène de vie. Tout comme mère nature fonctionne par des cycles saisonniers, l'être humain possède son propre rythme. Quand le travail, la famille, les amis, les corvées quotidiennes et les autres vicissitudes de la vie viennent bousculer l'équilibre, il est impératif pour mieux gérer le stress et conserver un maximum d'efficacité de veiller à certains éléments essentiels.

L'ALIMENTATION

Trois fois par jour, votre corps a besoin d'un apport alimentaire, et ce, à des heures aussi régulières que possible.

Si presque tout le monde sait que le déjeuner est le repas le plus important de la journée, très peu de gens ont l'habitude de manger le matin. Nul besoin d'être nutritionniste pour savoir que le corps se réveille et se prépare à dépenser beaucoup d'énergie. Donnez-lui le carburant nécessaire !

Bien entendu, n'abusez pas du café, un excitant. Comme vous êtes déjà assez stressé, inutile d'en rajouter, pas vrai ? Privilégiez le thé, les jus de fruits, etc. Si vraiment vous n'avez pas faim, apportez une barre de céréales et quelques fruits que vous pourrez manger en milieu de matinée.

Le repas du midi devrait être consistant et complet, car vous avez encore tout l'après-midi devant vous. Au lieu de courir et de vous étouffer avec un sandwich aussi fade qu'indigeste, envisagez ce moment comme l'occasion de couper la journée. Prenez le temps de vous détendre en vous offrant un bon repas.

Inutile de stresser davantage votre organisme en gavant votre estomac autant qu'il peut en contenir ou, au contraire, en faisant une grève de la faim pour mettre votre corps en manque.

Le souper devrait être plus léger, à moins que vous n'ayez ensuite encore beaucoup d'énergie à dépenser.

Au-delà de ces quelques recommandations et de votre alimentation, je souhaite souligner l'importance de la manière dont vous mangez. Il est essentiel de prendre le temps de bien mastiquer chaque bouchée de nourriture avant de l'avaler. Cette première phase du processus de digestion influence grandement l'action des enzymes contenues dans la salive et facilite le travail d'absorption des nutriments par l'organisme.

En d'autres termes, la mastication joue un rôle direct sur les carences alimentaires aussi bien sur le plan de la qualité que de la quantité ainsi que sur le plan de la prise de poids, car plus vous mastiquez, moins vous mangez vite et plus vous savourez votre repas. Une mastication adéquate améliore la digestion et donc la capacité de l'organisme à mieux s'adapter aux situations stressantes !

L'alcool et ses vertus aphrodisiaques plus ou moins prolongées risquent surtout de vous embrouiller les idées et d'affaiblir votre système immunitaire, vous rendant moins performant et plus passif alors que celui-ci est déjà sollicité par le stress. À consommer avec modération !

SOMMEIL ET INSOMNIE

Bien que le nombre d'heures de sommeil puisse varier d'une personne à l'autre, selon l'âge, ce qu'elle vit et son état de santé, la plupart des personnes ont besoin de dormir de sept à huit heures par nuit.

Tout le monde a une horloge interne. Alors, aussi bien la programmer en respectant certaines conditions favorables à une bonne nuit de sommeil :

- Évitez les siestes durant la journée pour favoriser le sommeil durant la nuit, si vous avez de la difficulté à vous endormir.
- Faites du sport régulièrement, dans la journée, pas en soirée.
- Ne consommez ni sucreries, ni thé, ni café quatre à cinq heures avant de vous coucher.
- Privilégiez une activité qui favorise le sommeil (lecture, musique relaxante, etc.).
- Allez vous coucher seulement quand vos yeux commencent à se fermer. Le sommeil est un état naturel qui ne peut être provoqué (sauf par la médication). Alors, inutile de vous forcer à dormir !
- Faites en sorte de ne pas voir l'heure quand vous êtes au lit (tournez le réveil).
- Ne faites rien d'autre dans votre chambre que dormir ou avoir des relations sexuelles. Ce n'est pas un lieu pour lire ou regarder la télévision.
- Réveillez-vous à la même heure le matin.
- Ma mère me disait souvent de compter les moutons quand mon esprit était trop indiscipliné. Et la vôtre ?

Si vous éprouvez malgré tout de la difficulté à bien dormir, voici une cure d'environ deux mois qui vous aidera à augmenter vos heures de sommeil :

- Couchez-vous à des heures régulières, à quinze minutes près, tous les jours.
- Durant la première semaine, diminuez votre temps de sommeil de quinze à trente minutes. Lorsque vous dormez durant tout le temps où vous êtes au lit, augmentez la durée de votre sommeil de quinze minutes par semaine. Vous devez dormir durant ce quart d'heure supplémentaire afin de pouvoir augmenter encore la semaine suivante. Cela peut être exigeant au début, mais je vous garantis que cela en vaut la peine et que vous aurez des bénéfices après quelques semaines.
- Si vous ne dormez pas, ne restez pas au lit. Changez de pièce pour vous détendre, environ vingt minutes, sans regarder l'horloge, mais plutôt en calculant subjectivement cette durée dans votre tête. Puis, retournez vous coucher.
- Trouvez une solution à vos anxiétés, accordez-vous un moment dans la journée pour réfléchir, car la nuit, c'est fait pour dormir.

Procrastination

Pour bien des anxieux, une gestion du temps inefficace est source de stress. Alors, si vous ne voyez aucun avantage à attendre la dernière minute pour faire vos achats, payer vos factures, fixer un rendez-vous important, accumuler un petit pécule de secours, vous pourriez, si cela vous concerne, prendre le temps de réorganiser vos priorités et de les satisfaire au fur et à mesure.

La procrastination est l'art de reporter à plus tard ce que l'on peut faire maintenant. Quelles en sont les raisons ? Les causes peuvent être nombreuses : perfectionnisme, peur paralysante, déficit d'attention, fatigue chronique, anxiété, dépression.

Plutôt que de se mettre à la tâche et de fournir des efforts pour assumer des responsabilités souvent déplaisantes, plusieurs préfèrent de loin rechercher le plaisir immédiat. Ainsi, rempli de toute cette bonne énergie, le procrastinateur s'imagine à tort qu'elle lui procurera l'élan nécessaire pour accomplir, peut-être, plus tard, ce qui le rebute. Hélas, il ne réalise pas qu'en agissant de la sorte, il ne fait qu'augmenter son stress en anticipant encore plus l'aspect désagréable des choses à faire.

Cette stratégie, vous l'aurez compris, apporte plusieurs effets inconfortables :

- La démotivation

Pour la reconquérir, il serait pertinent de choisir une nouvelle habitude, quitte à se trouver une « carotte » pour se faire avancer plus facilement.

- La désorganisation des pensées

Cela engendre des inquiétudes et des émotions désagréables qui invitent encore moins à agir, en se sentant par exemple coupable, bon à rien. L'emploi d'une liste permettrait de mieux orienter ses idées. Il ne faut pas trop la remplir ! Cela est décourageant avant même d'avoir commencé.

- L'énervement de l'entourage

Difficile d'être bien avec les autres quand on sait que l'on n'« assure » pas dans plusieurs domaines de sa vie. Le procrastinateur risque tôt ou tard d'avoir des comptes à rendre, ce qui le stresse.

- La perte de confiance en soi

À force de repousser ce que l'on a à faire, l'absence de résultats se fait sentir et influence directement l'image de soi. Imaginer le sentiment de satisfaction une fois la tâche terminée peut renverser la vapeur.

- La complication de la vie

En reportant au lendemain ce qui peut être fait aujourd'hui, le fardeau sur les épaules s'alourdit. Surveiller sa posture, se redresser, respirer et bouger (sauter sur place, par exemple) peuvent influencer et renverser l'état émotionnel.

Si la procrastination s'installe de manière chronique et devient l'attitude principale pour faire face à la vie, il est fort possible qu'elle signale une forme d'anxiété plus généralisée ou une tendance à la dépression. Quoi qu'il en soit, chercher des solutions pour modifier ce type de comportement limitant garantira une meilleure réussite et qualité de vie au procrastinateur, tout en lui permettant de mieux gérer son temps et d'en profiter.

Parfois, une bonne stratégie peut être de commencer à vous occuper de ce qui vous déplaît en gardant à l'esprit que plus vite vous en serez débarrassé, plus tôt vous pourrez savourer ce que vous voulez.

Oxygénation

En présence d'une forte anxiété, la respiration est bloquée. Il est donc très utile de conserver un flux de respiration libre pour laisser circuler les émotions à l'intérieur de soi et fournir au corps l'oxygène nécessaire. Voici quelques suggestions d'exercices. À vous de les mettre en pratique et d'utiliser celui qui vous convient le mieux :

Premier exercice

- Contractez le plus possible tous vos muscles en prenant une inspiration que vous retenez pendant deux secondes.
- Relâchez soudainement tout en expirant profondément.

Deuxième exercice

- Inspirez par le nez comme si vous faisiez monter l'air dans votre corps par les pieds.

- Expirez l'air par la bouche en imaginant que vous laissez partir avec votre souffle les tensions et l'anxiété que vous ne voulez pas. Respirez lentement et calmement.

Troisième exercice

Il s'agit d'une respiration circulaire qui consiste à inspirer et à expirer pleinement et profondément, sans faire de pause entre chacune des respirations. Cet exercice de respiration peut provoquer certaines réactions physiques, comme un vertige par l'apport important d'oxygène. Vous pouvez arrêter dès que vous voulez.

Quatrième exercice

Cette méthode de respiration est issue de la méditation Vipassana. Elle a pour but de calmer l'esprit et de le faire entrer dans le moment présent. Bien que le principe soit simple, cet exercice demande d'être pratiqué quotidiennement, une à deux fois par jour, en augmentant progressivement la durée. Si vous commencez par deux séances de quinze minutes, c'est un bon début:

- Asseyez-vous confortablement dans un endroit le plus calme possible.
- Fermez vos yeux.
- Portez uniquement votre attention sur votre souffle. Observez votre respiration, uniquement votre respiration, sans vous laisser distraire par les pensées qui vous traversent l'esprit.
- Si vous êtes déconcentré par des idées, acceptez-les, sans vous énerver, et reportez votre attention sur votre respiration: inspiration et expiration naturelles.
- Si vous avez de la difficulté à avoir conscience de votre respiration, prenez quelques respirations plus fortes et revenez ensuite à une respiration naturelle.

Posture

La posture que votre corps adopte influence directement votre respiration ainsi que votre état émotionnel. Il est donc possible d'agir sur votre anxiété en modifiant radicalement la position qu'adopte votre corps. Redressez-vous, changez votre démarche, ancrez bien vos pieds dans le sol.

En cas de crise d'angoisse, une de mes clientes avait pris l'habitude de sauter sur place quelques fois en faisant un mouvement circulaire avec les bras de manière à les lever au-dessus de sa tête et de frapper dans ses mains avant de les redescendre le long du corps. Ainsi, elle incitait son corps à respirer et le mouvement lui permettait d'évacuer une bonne partie des tensions accumulées dans son organisme.

Respect de soi-même

Écouter vos sentiments et vos émotions autant que possible sans chercher à les fuir ou à les ignorer. Ne vous obligez pas à faire des choses qui vont à l'encontre de vos valeurs, à accepter des situations où l'on vous traite irrespectueusement. Ce que vous refoulez à l'intérieur ronge progressivement votre confiance et votre amour-propre. Vous penserez sûrement que c'est facile à dire, mais que la pratique est tout autre. Et vous avez raison. Le livre que vous tenez se veut un compagnon de route pour vous amener à réaliser cette transition de la théorie à la pratique.

Ainsi, au moins deux possibilités s'offrent à vous durant la lecture de ce qui suivra. Certains d'entre vous resteront confortablement installés et valideront, au fur et à mesure des pages tournées, ce qu'ils savent sans mettre en pratique ce qui s'y trouve. D'autres joueront le jeu et mettront à l'épreuve les outils qui leur sont offerts afin de vérifier si cela fonctionne ou non.

Quelle que soit votre décision, gardez en tête qu'il y a une différence entre savoir et pouvoir. On ne sait vraiment quelque chose que lorsque l'on a réellement éprouvé ce soi-disant savoir en le mettant en pratique. Alors, que choisirez-vous ?

6. ANXIÉTÉ ET CHANGEMENT

Faut-il attendre d'être vaincu avant de changer ?
Proverbe malien

Réaliser des changements dans sa vie n'est pas nécessairement confortable. Que ce soit un changement géographique, un changement d'emploi ou de style de vie, la motivation est un élément primordial pour amorcer une transition.

Le besoin de changer des aspects de l'existence s'exprime, chez certaines personnes, de manière subtile, floue, diffuse, parfois intuitive. Pour d'autres, cette envie est plus évidente et se caractérise par un état émotionnel particulièrement clair, intense, comme des crises d'angoisse, un épuisement professionnel, une dépression, une grande tristesse. D'une manière générale, cela arrive rarement du jour au lendemain. Il y a d'abord des signes qui deviennent, avec le temps, de plus en plus évidents, s'ils ne sont pas pris en compte rapidement.

Quoi qu'il en soit, réaliser un problème et définir un changement satisfaisant nécessitent certains ingrédients qui vont servir de levier à votre motivation. Ainsi, c'est en exprimant le désir de changer, en vous sentant capable de l'accomplir et en étant prêt à le réaliser que vous parviendrez à amorcer une transition entre votre situation actuelle et votre idéal.

L'importance que vous accordez aux changements désirés est liée à votre motivation. Plus vous désirez quelque chose, plus vous vous en donnerez les moyens. Alors, qu'est-ce qui fait que, parfois, le changement désiré ne s'effectue pas ?

Avoir envie de changer est une chose, mais cela ne suffit pas toujours. En effet, il est essentiel de croire en vous, en votre capacité à réaliser les changements désirés pour adopter les pensées et les comportements qui vous y conduiront. Si la confiance dont vous avez besoin vous fait défaut, vous risquez alors de modifier votre manière de penser plutôt que votre comportement pour diminuer votre inconfort. Or, agir ainsi revient à diminuer votre motivation à concrétiser votre idéal, à diminuer le sens que vous pouvez donner à votre existence, sans compter les barrières que vous installerez ainsi dans votre quotidien.

Réaliser des changements dans sa vie implique aussi de savoir s'adapter, d'accepter de faire du ménage pour permettre à la nouveauté de rentrer, d'apprécier l'incertitude de la vie et d'y voir des occasions opportunes à saisir. Il n'est pas rare de résister à cela pour toutes sortes de raisons. Cette résistance se manifeste souvent par un « oui, mais ». Vous l'avez sûrement déjà entendu.

Lever la résistance à apporter des changements, c'est le travail du *coach*. Il guide la personne désireuse d'améliorer sa vie à prendre conscience de ce qui suscite en elle des résistances, à réduire la distance qui la sépare de la réalisation de ses rêves, à accepter l'incertitude tout en lui permettant de fortifier sa confiance, de développer une manière adéquate de penser à ses objectifs ainsi que les capacités dont elle a besoin pour y parvenir. La résistance au changement se transforme progressivement en créativité, en excitation, en motivation. À vous de choisir le guide qui vous convient pour accomplir cette alchimie.

Résistance au changement

Si vous refusez d'admettre qu'une situation, une relation ou un emploi doit changer, vous créez de la résistance dans votre vie. Il y a de fortes chances que cette période persiste un certain temps dans votre vie, du fait même que vous y résistiez. En cherchant à vous accrocher à ce que vous refusez de perdre, vous risquez de créer une anxiété proportionnelle à l'intensité de votre refus que la situation évolue.

Une personne méfiante aura tendance à percevoir des motifs et à chercher des preuves confirmant ses craintes. Ce sont justement ces dernières qui favorisent l'apparition de l'anxiété. Or, la première chose sur laquelle nous pouvons vraiment exercer notre maîtrise, ce n'est pas sur les gens ou les événements, mais bel et bien sur la disposition mentale avec laquelle nous abordons ce que nous vivons.

Soyez attentif aux pensées qui jaillissent dans votre esprit pour ne garder, dans votre cœur, que celles qui vont alimenter émotionnellement, et de manière favorable, chacune de vos paroles et de vos actions. Vous renforcerez votre conviction et la confiance en votre capacité à aller encore mieux, à réussir ce que vous désirez concrétiser. Par rapport aux changements angoissants, rappelez-vous que quoi qu'il arrive, vous pouvez conserver la maîtrise de vos pensées pour choisir le sens et l'issue que prendra chaque situation, aussi difficile soit-elle !

Filtrez les pensées limitantes que vous prenez trop au sérieux afin de ne croire que celles qui sont affirmatives, positives et stimulantes pour favoriser le passage à l'action. Pour les doutes, s'ils ont une utilité, il en découlera certains comportements préventifs. Sinon, leur inutilité est une conclusion suffisante pour les chasser de votre esprit, comme on chasse du revers de la main une poussière sur un vêtement (voir « L'utilité du doute »).

Combien de temps gaspillez-vous à nourrir idées et scénarios pessimistes qui ne se produiront peut-être jamais (sauf si vous continuez à croire que c'est ce qui se produira !) et qui ont le bénéfice de vous paralyser avant même de faire le premier pas ? Trop souvent, on s'écoute de manière démesurée et on laisse ainsi la porte ouverte aux inquiétudes paralysantes.

Affirmez haut et fort, à chacune des occasions qui s'offre à vous, la maxime suivante : « Je peux ce que je veux ! » Même si vous n'y croyez pas complètement, et ce sera sûrement le cas au début, vous ne faites qu'utiliser un processus d'intégration du cerveau pour reprogrammer celui-ci afin de modifier votre attitude et d'adopter de nouveaux comportements. Ensuite, vous vous engagez volontairement à agir, comme si la peur n'était plus là, et en assumant que vous êtes capable de faire ce que vous voulez ! Peu importe, dans un premier temps, que vous atteigniez votre objectif ou non, car ce qui est primordial, c'est de développer votre courage à oser des situations nouvelles, à avancer et donc à affronter vos appréhensions. En ce sens, chaque affrontement de vos peurs sera déjà en lui-même un succès, celui du capitaine qui tient fermement son gouvernail malgré la tempête !

Parfois, certains éprouvent de la difficulté à se détacher des pensées limitantes. Que ce soit parce que vous voyez les difficultés grosses comme une montagne ou que vous ayez l'impression de vous heurter à un mur, vous êtes de toute évidence trop associé à la manière dont vous vous représentez votre défi. Dissociez-vous de cette représentation néfaste, comme si vous regardiez un film à la télévision et, avec la télécommande, modifiez les images. Peut-être allez-vous mettre plus de lumière ou de couleur, éloigner l'image, la mettre en noir et blanc ou ajouter une musique amusante.

Quoi que vous fassiez, transformer les représentations négatives des situations qui vous préoccupent vous aidera grandement à vous motiver à passer à l'action. Essayez et vous verrez, ou plutôt vous sentirez la différence !

Vous pourriez tout aussi bien vous fabriquer une nouvelle image, très attrayante, de ce que vous désirez, que vous allez substituer à votre représentation limitante chaque fois que cette dernière se présentera dans votre esprit. Avec la répétition, cela finira par devenir votre manière d'envisager votre vie, tout en renforçant votre capacité d'action et votre confiance.

Afin de libérer votre potentiel d'évolution par rapport à un changement non voulu, la solution la plus efficace consiste à affronter la peur qui alimente votre résistance. Pour cela, imaginez que votre plus grande peur devant la situation qui vous préoccupe se réalise. Que se passe-t-il ensuite ? Que décidez-vous de faire ?

ÉLARGISSEMENT DE SA ZONE DE CONFORT

Dans ma pratique professionnelle, j'ai eu l'occasion un jour d'explorer avec une cliente sa difficulté à quitter sa zone de confort. Découragée, fatiguée, elle ne parvenait pas à prendre certaines décisions pour apporter des changements dans sa vie. À défaut d'être certaine de pouvoir maîtriser les imprévus qui pourraient surgir, en supposant qu'ils se produisent effectivement, elle était épuisée d'avancer d'un pas et de reculer de deux pas.

Avancer, reculer, s'arrêter, faire demi-tour, changer de direction. À mes yeux, toutes ses attitudes ne sont que la manifestation, l'expression du désir de grandir. Or, grandir se fait rarement de façon fluide, linéaire. Au contraire, la vie, dès sa forme la plus élémentaire, nous rappelle que nous grandissons par poussées. Nous parvenons ainsi à passer d'un stade à un autre. Parfois, cela se fait subtilement, à notre insu, et nous changeons petit à petit. D'autres fois, cela se fait davantage sentir, comme pour nous faire savoir qu'un changement plus visible arrive.

La difficulté que cette évolution peut engendrer, loin de vouloir nous décourager, trouve tout son sens dans son utilité à justement nous permettre d'évoluer. Comme un nouvel abonné au gym qui transpirera et connaîtra certaines courbatures en faisant travailler des muscles qu'il utilise peu, quitter sa zone de confort implique une pratique parfois douloureuse visant à créer le renforcement. C'est en gardant une vision à long terme des bénéfices recherchés que l'entraînement prend toute sa valeur. Si le sportif s'attend déjà après sa première séance de musculation à voir son corps changer, il sera certainement déçu. Cet entraînement est bien plus qu'une simple répétition de mouvements identiques, il fait partie du processus d'apprentissage.

Apprendre à grandir équivaut souvent à développer notre capacité d'adaptation quant aux nouvelles situations que nous vivons. Bien que certaines d'entre elles soient parfois effrayantes, elles nous offrent malgré tout la très riche opportunité de grandir en cultivant notre flexibilité. Savoir nous adapter, c'est nous offrir de multiples choix d'agir, de faire et d'être, en fonction des circonstances. Et nous avons tous, à des degrés divers, cette capacité d'adaptation en nous.

Aussi, dans votre quotidien, vous pourriez alimenter un certain goût pour faire au moins une nouvelle chose ou faire la même chose, mais d'une manière différente. C'est en entrant ainsi dans la découverte qu'offre l'inconnu que vous pouvez arrêter de vivre un « pilotage automatique » et que vous entrez dans le moment présent. Parfois, il peut s'agir simplement de choisir un itinéraire différent le soir pour rentrer à la maison, d'acheter un aliment que vous ne savez pas cuisiner, de parler à une personne à qui vous ne parleriez pas d'habitude. Il s'agit donc de cesser de fonctionner comme un robot pour redevenir un être plus créatif, à quelque niveau que ce soit.

C'est en prenant l'habitude de faire ce que vous n'avez pas l'habitude de faire que vous cultiverez votre aisance à sortir de votre zone de confort. C'est en commençant à apprendre à naviguer sur une mer calme que vous serez plus à l'aise de manier votre barque en pleine tempête ! Souvent, chez une personne anxieuse, c'est cette capacité à naviguer en mer inconnue qui est en sommeil, bloquée, brimée. L'attitude d'évitement quant aux nouvelles situations produit de l'anxiété qui paralyse la faculté à être plus créatif. D'une certaine manière, se libérer de l'anxiété, c'est reconquérir sa liberté d'agir. Il se peut même qu'en tournant votre regard dans une autre direction pendant un moment, cela devienne votre vie pour les dix prochaines années ! Alors, qu'allez-vous faire de nouveau ou de différent aujourd'hui ?

CRISES EXISTENTIELLES

Parfois, il y a des moments dans la vie où presque plus rien ne va (enfin, pas comme on le souhaite). Des projets stagnent, des démarches n'aboutissent pas ou peu, les retards et les contrariétés sont nombreux, les relations sont insatisfaisantes, en déclin ou presque inexistantes.

Ce type de période ou de crise existentielle constitue une étape de vie souvent fort inconfortable qui produit de grandes remises en question. La réalité comme on la percevait alors semble se désagréger et il devient plus difficile de faire la part des choses entre ce qui a vraiment une importance et ce qui en a moins. L'esprit s'embrouille, entre dans un état de confusion, de doute, d'inquiétude et de peur en tout genre. Souvent, d'ailleurs, les domaines qui nous effraient le plus sont ceux qui ont une réelle importance dans notre vie. Et ce sont justement ces aspects de nos vies qui nécessitent une nouvelle perception, un regard plus souple, novateur et élargi. L'anxiété représente alors le stimulus qui vous éveille à vos désirs enfouis ou ignorés.

Malgré le sentiment d'être désorienté dans tout ce chaos, il n'en demeure pas moins qu'un changement très valable prend forme et se matérialise progressivement. Effectuer ce constat peut procurer des avantages utiles à mieux vivre des changements majeurs dans la vie. Il convient notamment de se rappeler dans les grands moments de doute que les choses sont souvent moins mauvaises qu'elles en ont l'air. Même si vous le souhaitez, il n'est pas toujours nécessaire ni utile de savoir dans l'immédiat où tout cela vous conduira. Portez plutôt votre attention sur le processus de changement à l'œuvre dans votre vie. Il se divise en plusieurs cycles que nous allons décortiquer au prochain chapitre. Ainsi, vous pourrez identifier et mieux comprendre celui que vous traversez et l'attitude à adopter.

En fait, il s'agit surtout d'une occasion particulière et unique d'élargir votre regard sur la vie et sur vous-même, de remettre à jour vos convictions, vos valeurs et vos croyances afin d'accéder à un univers différent de celui que vous avez connu auparavant. En d'autres termes, le défi consiste à faire le deuil d'une phase de votre vie qui s'achève pour vous ouvrir à une autre dont les détails vous échappent, mais qui garantira de nouvelles possibilités pour peu que vous acceptiez de les voir et de prendre le temps de les observer. Comment vous y prendre pour parvenir à faire glisser votre regard vers la sortie du cul-de-sac dans lequel vous vous trouvez ?

Il est primordial de ne pas vous laisser tomber et de vous empêcher de vous enliser dans vos peurs ou dans un pessimisme paralysant qui vous empêcheront justement de vous ouvrir aux possibilités qui s'offrent à vous. Il est normal qu'affronter l'inconnu puisse susciter des peurs et des angoisses, mais ce n'est pas une raison pour y céder. Rappelez-vous que, quels que soient les événements, il est possible de demeurer maître de vos pensées. Cela dit, vous devez faire l'effort d'agir sur celles-ci afin de reconsidérer, avec une plus grande sérénité, que si ce à quoi vous avez cru n'a plus de sens ni d'utilité dans votre présent, c'est là une réelle chance d'accéder à une vérité plus grande que celle que vous aviez découverte précédemment. Faire le choix de vous complaire dans la peur revient en fait à perdre cette occasion de grandir et d'évoluer. Ce qui est tout aussi inconfortable, si ce n'est plus !

Manifestez votre souplesse d'esprit et votre capacité d'adaptation en utilisant votre stress. Dans le fond, vos angoisses vous aiguillent sur ce que vous désirez vivre par rapport à ce que vous vivez et qui ne vous convient plus. Aussi, au lieu de continuer à laisser libre cours à votre esprit pour alimenter toutes sortes de pensées engendrant des états émotionnels désagréables, agissez sur ces dernières en redirigeant votre regard sur ce que vous désirez vraiment vivre, même si ce n'est pas encore très clair pour vous. Donc, il s'agit de cesser de réagir à ce qui se produit dans votre vie, et de redevenir acteur de votre destinée en exprimant à l'aide de vos sens (la vue, les sensations et l'audition) vos désirs.

Au lieu de mettre de l'énergie sur ce que vous ne voulez plus dans votre vie ou sur ce qui vous manque, vous commencerez à changer votre état émotionnel en vous concentrant sur ce que vous désirez, que ce soit un nouvel emploi, un nouvel appartement, une voiture neuve. Je ne dis pas que cela réglera la situation par magie. Par contre, je vous garantis que cela diminuera votre inconfort et stimulera votre énergie pour passer à l'action. Jusqu'à preuve du contraire, la solution se trouve dans l'action, ce qui implique un mouvement. Or, comment voulez-vous bouger, agir vers un mieux-être, vers la réalisation de vos désirs, si votre esprit se concentre uniquement sur ce qui ne va pas et sur ce qui fait défaut ?

Vous comprenez sûrement mieux que vous avez beaucoup plus à gagner en commençant par modifier votre état d'esprit pour influencer votre état émotionnel et finalement trouver l'élan nécessaire pour agir. Et c'est souvent là que l'on peut bloquer. Agir, c'est bien beau, mais pour faire quoi ?

Utilisez tout ce qui s'offre à vous comme un élément de votre nouvelle manière de percevoir la vie, de donner une direction neuve et stimulante à ce que vous vivez pour découvrir de nouvelles expériences. Concrètement, lorsque vous alignez vos pensées sur vos désirs, sur ce que vous voulez vivre, et non pas sur ce que vous ne voulez plus vivre, vous constaterez progressivement que vous influencez vos émotions. Vous créerez un autre état émotionnel qui vous motivera à passer à l'action, car votre regard sur les événements en sera modifié. Au lieu de percevoir des preuves que vous continuez à avoir ce que vous ne voulez pas, vous vous ouvrirez à de nouvelles possibilités, à de nouveaux moyens de concrétiser ce que vous désirez et à d'autres occasions. Vous prendrez plaisir à ce processus du moment où vous acceptez de jouer le jeu et d'exprimer votre créativité, votre audace et votre inspiration. En cherchant à vous sentir comme si vous aviez déjà ce que vous désirez, vous entraînerez votre esprit à agir de manière à provoquer des circonstances favorables à l'évolution de votre situation. Certains appellent cela la chance, d'autres la synchronicité, mais qu'importe.

Ce qui compte, c'est de vous ouvrir à de nouvelles voies qui demeuraient inaccessibles, car vous étiez perdu dans les méandres de votre esprit, effrayé, ce qui vous empêchait de percevoir autrement un chemin différent pour vous rapprocher de vos rêves.

Je vous invite à méditer sur cette citation tirée d'un petit livre, *Le zen dans l'art chevaleresque du tir à l'arc*, écrit en 1936, qui fut un livre à succès pendant plus de cinquante ans. L'auteur, Herrigel, philosophe allemand, décrit le zen dans le tir à l'arc comme suit : « L'archer cesse d'être conscient de lui-même en tant que personne appliquée à atteindre le cœur de la cible qui lui fait face. Cet état d'inconscience est obtenu uniquement quand, complètement vide et débarrassé du soi, il devient un avec l'amélioration de sa technique, bien qu'il y ait là-dedans quelque chose d'un ordre tout à fait différent qui ne peut être atteint par aucune étude progressive de l'art... »

Comme un archer, développez votre technique en pratiquant avec plaisir une attitude mentale qui vous permettra de faire face aux aléas de la vie. Canalisez vos pensées et vos énergies avec ce que vous désirez pour mieux agir en ce sens avec une plus grande inspiration créatrice et en y apportant une dimension spirituelle !

Cycle du changement

Il suffit d'observer le rythme des saisons pour constater que chaque cycle de changement comporte quatre phases, qui se répètent selon des durées variables en fonction de l'ampleur des objectifs que vous souhaitez concrétiser dans votre vie. Ainsi, chaque projet, qu'il soit personnel ou professionnel, s'inscrit dans un cycle de changement et passera au travers des quatre phases de réalisation. Certaines étapes peuvent être très courtes tandis que d'autres peuvent s'étaler sur plusieurs mois, voire plusieurs années.

Vouloir changer est le premier pas, mais ce désir à lui seul est insuffisant pour permettre l'émergence d'une nouvelle attitude et de comportements plus efficaces. Vous en conviendrez, il y a des moments où vous souhaitez changer, mais où vous ignorez la façon ou la forme que cela prendra. Afin de progresser, il est indispensable d'apprendre à vous projeter dans le futur (voir « Visualisation » et « Objectif de communication ») pour vous y préparer en mettant à profit vos valeurs, vos qualités et vos compétences. L'évolution d'une situation problématique vers la solution nécessite d'acquérir de nouvelles connaissances et compétences que vous désirez avoir dans l'avenir.

Il existe une corrélation, qui sera précisée, entre la phase de changement que vous vivez et votre niveau d'anxiété.

QUATRE PHASES DU CHANGEMENT

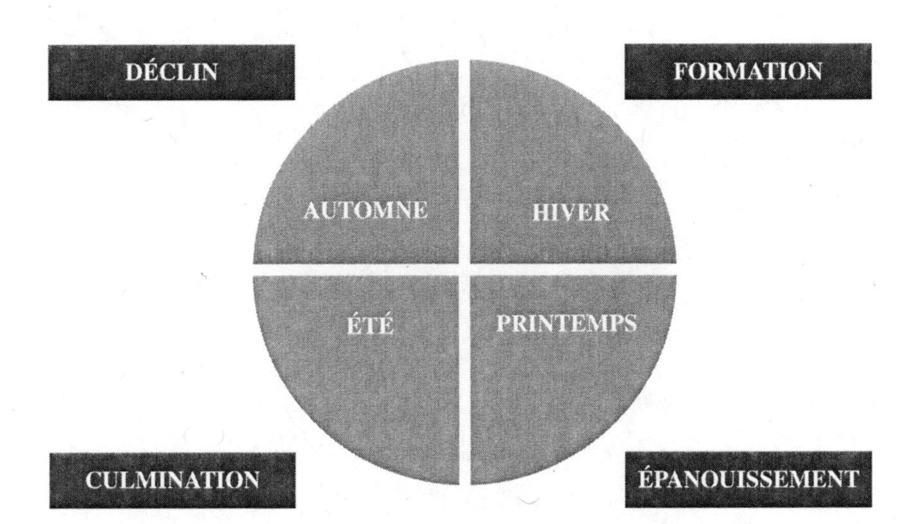

Parvenir à accepter les changements qui surviennent dans votre vie plutôt que d'y résister vous aidera indéniablement à mieux gérer votre anxiété.

C'est en identifiant où vous en êtes dans le cycle du changement qui est à l'œuvre dans votre vie que vous comprendrez mieux :

- ce qui s'en vient ;
- comment préparer la phase à venir ;
- la meilleure façon pour vous de tirer profit de la phase que vous traversez.

Dans quelle phase du cycle de changement êtes-vous ?

1. Première phase : formation

La saison de la formation correspond à celle de l'hiver. Son élément est l'eau et représente l'état liquide, la passivité, le relâchement, le renoncement à l'action, le sommeil, l'inertie, le repos, l'état végétatif.

Durant cette phase, l'importance est accordée aux souvenirs, à la vie intérieure, à la contemplation, à la rêverie, à l'inconscient et à l'imaginaire. On désire conserver ce que l'on a acquis et on cherche à s'y rattacher en utilisant sa mémoire. Durant la période de formation, le temps semble s'éterniser. On peut également ressentir un vide, avoir l'impression que tout s'est arrêté. Le niveau d'énergie est faible et l'angoisse du vide, de l'inconnu, est souvent présente.

La phase de formation offre l'occasion de reprendre des forces, d'apprendre et de se préparer à une période plus active, de faire un bilan de réalisation, de réfléchir à la direction que l'on désire prendre.

2. Deuxième phase : épanouissement

Le printemps, par l'apparition des bourgeons et le réveil de la vie en sommeil, est caractérisé par l'air qui tend à l'expansion illimitée, à la mobilité, à la légèreté, à la diffusion, au mouvement.

Durant cette phase, la liberté et la disponibilité conduisent à de nombreux contacts, à des déplacements, à des mélanges et représentent le triomphe de la vie qui se répand. Il y a prolifération d'idées et de possibilités. On se sent plus créatif, enthousiaste, en train de grandir, de découvrir.

La phase d'épanouissement représente l'occasion de se déployer spontanément dans son environnement et de manifester son appétit de vivre, de se déplacer, d'élargir ses contacts, de communiquer, de s'adapter et d'assimiler. Cette phase étant d'une joyeuse vitalité, l'anxiété est souvent minime, bien que l'on puisse se sentir frustré de ne pas déjà jouir des projets qui prennent de plus en plus forme. Il est temps d'affronter ses peurs et de se redécouvrir.

3. Troisième phase : culmination

L'été représente la réussite, l'atteinte des objectifs. Son élément est le feu, symbole de force, de réalisation, de progrès, de dépassement, de purification, de puissance, de chaleur.

Durant cette phase, les passions se réalisent et la volonté conduit à l'aboutissement des ambitions. On se sent satisfait, confiant, fier de soi, content d'avoir traversé les luttes et relevé les défis. L'affirmation personnelle se concrétise dans la réalisation d'un idéal, une élévation morale, professionnelle, personnelle. Le besoin impérieux de dépassement de soi est satisfait.

La phase de culmination représente le temps d'assumer son pouvoir, de se réaliser, de dépasser ses peurs, d'atteindre une stabilité et une grande énergie. On ne voit pas le temps passer.

4. Quatrième phase : déclin

Le déclin représente l'automne, caractérisé par la terre. Cette saison représente la réduction, la limitation, la dématérialisation, le dépouillement, la fossilisation, la pétrification, la conservation des fruits récoltés, des valeurs durables. La nature se retire, instinctivement, et on s'organise pour vivre plus à l'intérieur en utilisant les ressources accumulées, en se détachant, en se dépouillant matériellement au profit de la vie de l'esprit, du psychisme. On récolte les graines pour le printemps prochain.

Cette dernière phase du cycle permet d'intégrer, de retourner à l'intérieur de soi pour se recentrer, s'écouter, se reposer. Il est possible de se sentir triste, d'avoir des regrets de ce qui dépérit, d'être confus quant à ce qui s'en vient. Il faut prendre le temps de faire le deuil de ce qui ne sera plus, d'accepter cette transition entre deux étapes : ce qui était et la renaissance à venir, d'intégrer ce qui reste des nouvelles structures établies dans la phase précédente, des valeurs et talents utilisés.

TABLEAU RÉCAPITULATIF DES QUATRE PHASES DU CHANGEMENT

PREMIÈRE PHASE : FORMATION

Mots clés :
Repos, inertie, imaginaire, manque d'enthousiasme

Sources possibles d'anxiété :
- Vivre un sentiment de vide
- Ressentir une grande fatigue
- Trouver que le temps s'éternise, s'ennuyer

En profiter pour :
- Reprendre des forces
- Faire un bilan des réalisations
- Retrouver le goût de la simplicité
- Donner du temps au temps

DEUXIÈME PHASE : ÉPANOUISSEMENT

Mots clés :
Liberté, nouveaux contacts, déplacements, expansion

Sources possibles d'anxiété :
- Affronter ses peurs (d'émerger, d'affronter l'échec, etc.)
- Être frustré et impatient que la situation ne soit pas plus avancée
- Avoir des doutes

En profiter pour :
- Élargir ses horizons
- Mieux se connaître
- Développer de nouvelles passions

TROISIÈME PHASE : CULMINATION

Mots clés :
Réussite, affirmation, aboutissement, dépassement de soi

Sources possibles d'anxiété :
- Vaincre et dépasser ses peurs
- Assumer son identité et ses responsabilités
- Trouver que le temps passe à toute allure

En profiter pour :
- Agir
- Récolter, savourer et partager
- S'accomplir

QUATRIÈME PHASE : DÉCLIN

Mots clés :
Limitation, détachement, fin, deuil

Sources possibles d'anxiété :
- Avoir des regrets, être triste
- Être impuissant ou en colère
- Être confus, incertain
- Avoir une impression d'échec, vivre un manque de confiance

En profiter pour :
- Intégrer
- Parler de ce que l'on vit
- Pleurer et faire son deuil
- Nettoyer, ranger, jeter

RESTER CENTRÉ

Il existe des moments où la roue de la vie tourne vite, très vite, parfois trop vite même. Le vertige envahit l'esprit, les pensées se bousculent et le regard se trouble, ne voyant plus que ce qui ne fonctionne pas.

Comme l'eau d'un lac qui se trouble par grand vent, vous ne voyez plus le fond des choses, c'est-à-dire le sens possible à donner au cours des événements. De là naît sûrement l'impression que les problèmes se succèdent, que leur poids vous afflige et que vous êtes dépassé par les coups durs de la vie. Comment retourner au centre de la roue ?

En fait, si vous prenez un temps de recul par rapport à vos préoccupations, vous commencerez à cesser de vous identifier uniquement à votre mental et à toutes les idées qu'il vous crie aux oreilles ou vous projette en 3D sur votre écran mental intérieur. C'est sans doute l'attitude la plus utile à adopter dans ce genre d'état d'esprit, ne serait-ce que pour cesser de dépenser tant d'énergie à vous inquiéter de votre avenir et à mieux commencer à le préparer.

En effet, lorsque le déroulement de votre vie ne va pas dans le sens souhaité, le mental s'agite, s'énerve et renforce les états émotionnels inefficaces, compte tenu des défis que vous avez à relever. Vous devenez alors, malgré vous, vos pensées, les images que vous visualisez et vous n'entendez plus que ce que votre esprit veut vous faire croire. Vous détacher de cela revient à faire taire ce brouhaha qui obscurcit votre conscience et vous empêche de faire appel à votre créativité. En d'autres termes, cessez de vous identifier à ce que vous pensez et ressentez, vous êtes beaucoup plus que cela ! Quel rapport ? me direz-vous.

Vous ne pouvez trouver de solutions pour remédier à une situation problématique en utilisant le même mental que celui qui a contribué à créer votre réalité du moment. Aussi, pour rester dans le mouvement et tendre vers les solutions, il est nettement plus pertinent de laisser aller ce mental et d'entrer dans ce que nous pourrions appeler un espace dépourvu de mental, soit le non-mental. Qu'est-ce ?

En fait, il s'agit d'un état de calme intérieur dans lequel votre attention n'est plus orientée sur vos pensées, mais sur l'espace, l'intervalle qui existe entre vos pensées. Et pour accéder à cet endroit, vous avez besoin d'apprendre à vous détacher de vos idées, à les observer, simplement, sans les juger ni les condamner (sinon, vous vous y associez à nouveau). En adoptant cette nouvelle attitude, vous constaterez que chaque pensée a un début et une fin et que tout de suite après, juste avant que prenne forme un nouveau scénario dans votre esprit, se trouve un moment de calme, de répit. Savourez-le, à sa juste valeur, en vous concentrant sur lui de manière à l'amplifier. Selon moi, c'est cela, méditer. Ce qui permet d'être centré. Vous restaurez votre calme intérieur en dirigeant votre conscience sur l'espace de sérénité qui existe entre vos pensées. Il est tout à fait possible d'accéder à cet état de plusieurs façons. Par exemple, vous pouvez décider de diriger davantage votre concentration non plus sur votre tête, mais sur votre corps en faisant appel à vos sens. Vous poser une question peut être utile pour effectuer cette transition en douceur, mais ne restez pas orienté sur celle-ci. Vous pourriez vous demander alors ce que vous ressentez en ce moment. « Qu'entends-je ? » ou « Que vois-je ? » Et laissez vos sens répondre, découvrez uniquement ce qu'il en est en vous concentrant sur la peau qui recouvre votre corps, sur les sons qui touchent vos oreilles. Faites-en l'expérience en prenant un moment pour vous asseoir. Fermez les yeux et observez vos pensées.

Après un moment, soyez curieux de découvrir la manière dont cela agit sur votre esprit, tout simplement en reportant votre attention dans votre tête. Vous constaterez que les doutes et les inquiétudes se sont dissipés. Vous êtes alors à nouveau centré, à l'intérieur de vous-même, plus présent et conscient de ce que vous vivez dans l'instant présent. Chose intéressante aussi, dans cet état, votre compréhension des événements augmentera naturellement et vous percevrez avec une meilleure vue d'ensemble la réalité telle qu'elle est, dépourvue d'illusions que vos filtres de perception engendrent. Alors, les actions à faire apparaîtront plus clairement, s'il y a lieu. Vous pourrez commencer à agir en toute connaissance de cause, avec une plus grande inspiration et non comme un automate commandé par un petit singe fou qui ne cesse de vous jouer des tours !

7. LES VIRUS DE LA PENSÉE

On croit ce que l'on veut croire.
Démosthène

Une croyance est une pensée, une décision qui s'est généralisée à partir d'un événement émotionnellement intense ou d'une série de situations similaires.

L'intensité, aussi bien que la répétition du fait vécu, renforce la croyance, qui agit alors comme un virus dans vos pensées. Ce virus s'installe en vous, se multiplie et instaure une nouvelle loi personnelle qui conditionne vos comportements et vos réalisations en diminuant l'accès à vos capacités. La boucle est bouclée, et plus vous essayez, plus vous confirmez votre croyance par le résultat obtenu.

Inutile de vous dire qu'une fois inscrite, la croyance fait sa loi dans votre vie et vous dicte, souvent inconsciemment, où aller, quoi faire, quoi dire et même quoi penser !

Réveillez-vous, elle prend le contrôle de votre vie !

Telle une machine, vous obéissez à tous les programmes de vos croyances et chaque fois que cela sera possible, elles viendront vous prouver qu'elles sont réelles. Elles érigent ni plus ni moins la réalité dans laquelle vous vivez et délimitent votre territoire.

En d'autres termes, elles dressent des barrières pour vous garder dans un espace bien clôturé. Le temps pourra faire son œuvre et fortifier les limites qui deviennent des murs, pour certains, dignes d'un château fort. Mais, qu'y a-t-il de l'autre côté de ces remparts ?

Tant que vous demeurez à l'intérieur de cette fortification, vous vous croyez en sécurité.

Vous restez dans les limites du connu, évitant de les repousser et de découvrir de nouvelles choses. Ce confort a son prix, car plus vous évitez de sortir de votre château, plus vous commencez à sentir que vos choix sont limités, mais pas juste eux, car votre pouvoir l'est aussi. Et voilà une preuve supplémentaire que l'une de vos lois personnelles est authentique…

Quant à ceux qui osent franchir les limites du château, ils sont souvent paralysés par les peurs qui nourrissent leurs croyances. C'est la peur que ces lois soient immuables ou au contraire qu'elles soient obsolètes et que la vie menée jusqu'ici ait reposé sur des illusions, c'est-à-dire sur des lois personnelles erronées. Quoi qu'il en soit, le château est prison.

Lorsque vous prenez conscience de ce cercle vicieux, du roi ou de la reine que vous êtes, emprisonné dans la fortification que vous avez construite, il apparaît plus clairement que vous avez besoin de reprendre votre pouvoir en main, de déprogrammer vos virus de pensées en les affrontant, puis d'écrire de nouvelles affirmations dans votre carnet de voyage que vous associerez à un sentiment agréable et puissant pour les ancrer dans votre subconscient.

Je vous le dis tout de suite, vous avez des efforts à fournir pour y parvenir et la responsabilité vous en revient. Ne vous cachez pas déjà en rejetant la faute sur les autres, sur la société, sur le monde, sur votre famille ou sur je ne sais quoi encore, car c'est vous qui avez construit ce château. Il est plus facile, pour commencer, de faire face aux jeunes croyances, car elles sont moins enracinées en vous et seront plus faciles à déloger.

Pour celles formées dans votre enfance, elles vous demanderont plus de temps, mais avec patience et persévérance, vous en viendrez à bout. Pourquoi ? Simplement parce que chaque croyance engendre des habitudes comportementales. Nous sommes des êtres d'habitudes et nous fonctionnons beaucoup par automatisme, sans avoir pleinement conscience de ce que nous faisons ou comment nous agissons.

Il vous appartient donc d'être vigilant, de prendre conscience de vos habitudes, de développer une manière plus efficace et positive d'agir afin de l'installer au détriment de l'ancienne manière d'agir.

EXEMPLE DE PATRICK

Patrick vient me consulter pour un *coaching* amoureux. Ces cinq dernières années ont été le témoin de relations amoureuses de courte durée, avortant après quelques mois, parfois quelques semaines.

Devant ces échecs successifs, Patrick en vient à croire qu'il n'est pas fait pour être en relation. Cette loi personnelle le conduit alors à remplir sa vie de nombreuses occupations et il assouvit ses passions, dont le cinéma, pouvant visionner une soixantaine de films par mois.

Il réalise que ses habitudes de vie ne laissent aucune place pour qu'une personne entre dans sa vie.

Malgré son désir de vivre une relation amoureuse basée sur la complicité, sa loi personnelle lui rappelle qu'il n'est pas fait pour être en relation et qu'il sera encore rejeté s'il rencontre une femme.

Et si rencontre il y a, sa gorge se sert, un nœud à l'estomac apparaît, le rendant anxieux au point d'être paralysé et d'éviter de développer davantage le premier contact.

HUIT PRINCIPAUX VIRUS DE LA PENSÉE

Je me souviendrai toujours de ma première journée de formation, et particulièrement du moment où l'enseignante commença son cours en affirmant ceci: «LA PNL est l'étude subjective de la structure de la réalité.» Ce qui signifie, en d'autres termes, que chacun de nous construit sa propre réalité compte tenu de la manière dont il codifie ses expériences de vie, en fonction de ses cinq sens. Ceux-ci n'étant pas tous développés ni utilisés de façon égale, nous déformons ce que nous vivons, ce qui est particulièrement vrai chez les personnes anxieuses par leur talent à se faire de nombreux scénarios, générateurs de stress et d'émotions désagréables. Bon nombre de ces histoires créées dans la tête ne s'appuient pas sur la réalité, mais sur des croyances (comme nous l'avons vu précédemment). En cela, on peut dire qu'elles constituent de redoutables virus de la pensée qui vous rendent anxieux dès que les circonstances favorables sont présentes. Ainsi, pour un agoraphobe, la présence de l'ascenseur offrira un véritable terrain de jeu à son virus de la pensée qui courra partout et s'en donnera à cœur joie!

Il existe un certain nombre de ces petits parasites facilement identifiables. Nous allons en explorer quelques-uns, les plus courants, en fait, de façon à ce que vous puissiez réaliser quels sont les vôtres et commencer à cesser de vous raconter toutes sortes d'histoires:

1. Je dois absolument être aimé de mes proches, de mes amis, de mon conjoint.

Ce type de pensée montre le bout de son nez dès qu'un désaccord se présente, que vous ne vous sentez plus à la hauteur de la situation, que vous êtes exigeant envers vous-même, que vous vous sentez en colère, que vous ne vous affirmez pas. Vous avez peut-être tendance à faire le maximum et à vouloir que tout soit parfait pour satisfaire ce virus, mais c'est justement en agissant ainsi que vous commencez à le nourrir, car la perfection n'est pas de ce monde. Ce virus représente un idéal dont le principal atout est de constituer une source de motivation pour se réaliser, se dépasser, mais pas pour s'épuiser à la tâche !

Si vous reconnaissez cette pensée parasite en vous, la prochaine fois qu'elle se présentera, observez-la, comme le chasseur pourrait le faire en guettant sa proie. Lorsque vous l'avez bien dans votre ligne de mire, tirez-lui dessus en l'affrontant à l'aide des questions suivantes pour vérifier si elle est fondée, erronée ou imprécise :

- Qui a dit que vous devez être absolument aimé d'abord ?
- Que se passera-t-il si vous n'êtes pas aimé par vos proches ?
- Est-il possible d'être aimé en tout temps et de tous, à chaque instant, au travers de chacune de vos paroles, chacun de vos gestes ?

2. Il faut que je réussisse. Je dois y arriver tout de suite. Je ne peux pas échouer.

Lorsque vous étiez enfant, et nous l'avons tous été un jour ou l'autre, vous aviez tant de choses à découvrir, à apprendre, à comprendre, tantôt avec émerveillement, excitation, tantôt avec insouciance, appréhension. Voilà qu'un beau jour, devenu maintenant adulte, on se dit que l'on a tout découvert ou presque de la vie, que l'on sait comment cela fonctionne et que l'on doit réussir du premier coup. L'échec étant une manifestation de faiblesse et l'adulte étant censé être l'incarnation même de la force, de la solidité, vous ne pouvez échouer. Si vous êtes contaminé par ce virus, demandez-vous :

- Quel masque portez-vous devant les autres ?
- Quelle image de vous-même si utile offrez-vous à autrui ?
- Et si vous échouez une fois, que se passera-t-il ? Mourrez-vous ?
- Qui a dit qu'un adulte doit toujours réussir ?

3. Je suis la personne la plus honnête qui soit, la plus gentille.

Vous comparer ainsi aux autres ne peut que vous mettre beaucoup de pression sur les épaules, en vous fixant des exigences très élevées, pour ne pas dire irréalistes. Ce virus de la pensée apporte un jugement personnel, un stress tel que chaque acte, chaque pensée, chaque parole doit refléter l'honnêteté pure. Vous dressez ainsi le tableau d'un monde en noir et blanc. Vous êtes honnête ou menteur, gentil ou méchant. Votre besoin de reconnaissance et d'amour est tel que vous ne parvenez à le satisfaire que par autrui, créant ainsi une dépendance qui vous coûte cher et aliène votre confiance. Voici quelques pistes de réflexion :

- Et le droit à l'erreur dans tout ça, où trouve-t-il sa place ?
- Êtes-vous méchant parce que vous vous êtes mis en colère devant votre enfant qui joue avec des allumettes sans comprendre le danger potentiel ?
- Comment pouvez-vous valider par vous-même vos choix ?
- Que pourrait-il se produire de plus négatif si vous preniez une décision tout seul ?

4. Souffrir est horrible, insupportable, je vais en mourir.

Personne n'aime souffrir, sauf peut-être les masochistes qui en retirent un certain plaisir. Hélas, la souffrance fait partie de la vie et de la condition humaine. En quoi est-ce nécessaire d'en rajouter lorsque vous traversez une période plus délicate ? À moins que vous cherchiez à être consolé ? Quoi qu'il en soit, plus vous dépensez d'énergie à vous apitoyer sur votre sort, à alimenter votre malheur, votre colère, votre frustration et vos peurs, moins vous trouverez de solutions pour améliorer votre vie et être heureux. Accepter le fait que vous pouvez souffrir vous permettra d'accéder plus facilement à des moyens pour y remédier.

5. Je suis convaincu que j'ai une maladie mentale, je vais vivre ainsi toute ma vie.

Le sentiment de fatalité laisse peu de place à l'action. Il ouvre grande la porte à la démotivation ainsi qu'à l'incapacité de faire quelque chose pour améliorer son sort. Sincèrement, on a tendance à trouver ce que l'on cherche. Alors, plus vous regardez dans la direction de la maladie, plus vous la trouverez sur votre route. Mais, dites-moi, êtes-vous médecin ? Professionnel de la santé ?

Supposons que vous soyez vraiment atteint de maladie mentale. Allez-vous cesser pour autant de vivre, de travailler, d'avoir des amis, de manger, de marcher ?

Vous êtes en train de vous empoisonner sur le plan mental. En fait, si vous laissez cette pensée traverser votre esprit, sans y accorder d'importance, comment vous sentez-vous ?

C'est souvent parce que l'on imagine le pire que l'on est encore plus malheureux qu'on ne l'est réellement et que l'on se sent encore plus mal…

6. Si j'ai encore une crise d'angoisse, je ne pourrai rien faire, je vais rester coincé dans ma voiture, je vais étouffer, personne ne pourra m'aider.

Il existe des peurs réelles, utiles, et d'autres peurs demeurent irrationnelles. Ce virus de la pensée tente d'amplifier une inquiétude par rapport à quelque chose qui semble dangereux, effrayant. Pourtant, cela vous est-il vraiment déjà arrivé ?

Est-il vrai que si vous avez une crise dans votre voiture, vous ne serez pas en mesure d'ouvrir la portière ou la fenêtre ?

Ici, encore, si vous désirez vraiment anticiper ce qui pourrait se produire, partez du principe que c'est dans le but d'éviter le pire et utilisez vos peurs pour découvrir comment vivre une crise d'angoisse dans votre voiture de la manière la moins pénible possible ! Donc, la plus utile pour vous !

7. Je crois que la meilleure solution est la plus facile et rapide, celle qui mène à éviter les situations et les prises de responsabilité, tout en évitant de faire face à la réalité.

Ce genre de virus fait appel à la pensée magique, mais il est peu probable que l'anxiété disparaisse seule. En plus, elle vous réconforte dans une attitude inactive, voire dans un rôle de victime, ce qui a tendance à moyen terme à amplifier vos doutes, vos inquiétudes, en diminuant votre confiance par manque de réussites. L'être humain a besoin de donner un sens à sa vie et d'exprimer celui-ci au travers d'une activité nourrissante, épanouissante. Croire que vos factures vont se payer seules et que vous pouvez rester assis dans votre fauteuil vous évite de prendre vos responsabilités, de retirer davantage d'amour-propre, de satisfaction et risque fortement d'empirer la situation, et ce, rapidement. C'est un peu comme si votre bras ou votre jambe avait un début de gangrène et que vous attendiez que cela passe avant de chercher un remède. Vient alors un moment où il est trop tard et il ne reste plus qu'à amputer, ce qui est pire.

Connaissez-vous beaucoup de gens heureux qui laissent les choses se régler seules ?

Le plaisir ressenti d'une réussite facile et rapide est-il le même que celui vécu après avoir fourni certains efforts ?

8. J'ai la conviction que mon futur sera la copie conforme de mon passé, car il s'est déjà produit cela dans ma vie (une ou deux fois), ce qui implique obligatoirement que cela se reproduira.

En d'autres termes, vous êtes maudit et quoi que vous fassiez, le malheur s'abattra sur vous, encore et encore. Qui a décidé cela au juste ?

Se peut-il qu'en reproduisant des situations similaires, vous reproduisiez les mêmes comportements ? J'ignore ce que vous en pensez, mais règle générale, plus j'agis de la même façon, plus j'obtiens un résultat identique. Alors, si je me comporte différemment, je vais sûrement avoir un nouveau résultat. C'est là toute la question de l'importance de ce que vous ressentez lorsque vous agissez. Votre tristesse, votre colère, vos blessures venant du passé vous prédisposent à reproduire dans le futur ce que vous avez déjà vécu, par une sorte de jeu de transfert. Le but de cette répétition est sûrement de vous offrir la possibilité de reconsidérer un événement pour le régler et passer ainsi à une autre étape. Il s'agit donc de déprogrammer des réactions ancrées en soi en se libérant du passé.

Alors, la prochaine fois que vous devrez affronter une situation familière, pour l'avoir déjà vécue, demandez-vous ce que vous pouvez dire et faire autrement. Quelle paire de lunettes sera la plus utile ?

Tous ces virus de la pensée reposent sur un schéma unique de fonctionnement de l'esprit qui peut se résumer ainsi : ce n'est pas telle ou telle situation qui vous effraie réellement, mais plutôt l'idée que vous en avez. Cette idée découle de la part d'inconnu offrant libre cours à votre imagination pour élaborer toutes sortes de scénarios plus catastrophiques les uns que les autres. Ainsi, vous avez peur d'avoir peur.

Une fois que vous avez identifié vos virus de la pensée, vous êtes alors en mesure d'utiliser cette connaissance de vous-même pour discipliner votre esprit et développer de nouvelles habitudes plus efficaces. Gardez en tête qu'il est important de rester vigilant, patient et persévérant afin de vous corriger tout seul, comme un grand, lorsque ces parasites se manifesteront dans votre langage intérieur. Il vous appartient d'avoir la ferme détermination de vous parler à vous-même. C'est en vous arrêtant dans votre réflexion, en vous disant par exemple que telle idée est fausse et que vous refusez de continuer d'y croire, que vous parviendrez à remplacer votre ancienne habitude de pensée néfaste par une nouvelle idée, plus réaliste. Cela vous aidera à concrétiser dans votre vie les comportements que vous souhaitez adopter. Certes, au début, cela vous demandera une certaine vigilance, une conscience accrue, mais avec de la répétition, vous intégrerez de plus en plus facilement ce nouvel apprentissage jusqu'à ce que cela se fasse tout seul, inconsciemment. Vous saurez alors que vous avez acquis une nouvelle attitude, que vous la maîtrisez.

Le changement a un effet « boule de neige », c'est-à-dire qu'une petite modification de la pensée en entraîne une autre, et une autre, et ainsi de suite. Vous constaterez donc avec l'expérience que le plus difficile est de faire le premier pas. Ensuite, vos succès enrichiront votre confiance et vous gagnerez non seulement en facilité, mais en rapidité.

Identification de ses croyances

Comme je vous l'ai dit, pour commencer, il vous sera plus facile de vous faire la main avec une croyance récente. Choisissez une sphère de votre vie que vous souhaitez améliorer puis amusez-vous à écrire ce que vous croyez :

- Je crois que je suis ou que je ne suis pas…
- Je crois que je mérite ou que je ne mérite pas…
- Je crois que je suis capable ou que je ne suis pas capable…

Pour chacun des thèmes énumérés ci-dessous, écrivez sur une feuille les croyances que vous avez et précisez par la lettre A si cette croyance vous *aide* et par la lettre L si elle vous *limite*.

Énoncez trois choses que vous croyez au sujet de vous-même :

1. ______________________________

2. ______________________________

3. ______________________________

Énoncez trois choses que vous croyez au sujet des gens en général :

1. ____________________
2. ____________________
3. ____________________

Énoncez trois choses que vous croyez au sujet de vos relations amicales :

1. ____________________
2. ____________________
3. ____________________

Énoncez trois choses que vous croyez au sujet de vos relations amoureuses :

1. ____________________
2. ____________________
3. ____________________

Énoncez trois choses que vous croyez au sujet de la religion :

1. ____________________
2. ____________________
3. ____________________

Énoncez trois choses que vous croyez au sujet de la vie en général :

1. ____________________
2. ____________________
3. ____________________

Énoncez trois choses que vous croyez au sujet de l'argent :

1. ____________________

2. ____________________

3. ____________________

Énoncez trois choses que vous croyez au sujet du travail :

1. ____________________

2. ____________________

3. ____________________

Énoncez trois choses que vous croyez au sujet de vos capacités :

1. ____________________

2. ____________________

3. ____________________

Énoncez trois choses que vous croyez au sujet de votre avenir :

1. ____________________

2. ____________________

3. ____________________

Énoncez trois choses que vous croyez au sujet du bonheur :

1. ____________________

2. ____________________

3. ____________________

Énoncez trois mauvais souvenirs de votre enfance :

1. ______________________________

2. ______________________________

3. ______________________________

Pour chacun de vos mauvais souvenirs, énoncez la conclusion, la croyance qui en résulte :

1. ______________________________

2. ______________________________

3. ______________________________

DÉVELOPPEMENT DE SA VIGILANCE

En s'observant, Patrick finit par découvrir sur lui-même qu'au travers de ses comportements habituels, il évite de faire des rencontres en travaillant beaucoup, en sortant seul au cinéma, en ne participant qu'à des soupers avec des amis en couple, qui ne lui présentent jamais quelqu'un. Il se limite à des activités et à des gens connus, qui lui apportent une sécurité dont il a besoin, mais qui, avec le temps, l'emprisonnent.

Observez-vous et notez dans votre carnet de voyage tout ce que vous remarquez au sujet de :

- vos habitudes ;
- les lieux que vous fréquentez ;
- votre rythme de vie (heure de lever, de repas, de coucher) ;
- votre manière de penser ;
- votre langage intérieur.

Prenez conscience de la manière dont vous agissez ! Amusez-vous à découvrir comment vous fonctionnez, avec compassion et indulgence.

Création d'une nouvelle perception

Après avoir pris conscience de ses comportements, Patrick est plus à même de préciser, en visualisant, les nouveaux comportements qu'il souhaite adopter.

Au lieu de voir les lieux de rencontre comme une jungle angoissante, il les envisage comme un parc d'attractions avec plein de manèges et de choses amusantes à découvrir, à goûter et à écouter.

Sourire aux lèvres, habité par le désir de s'amuser, il s'imagine sortir et prendre plaisir à discuter avec des inconnues, pour faire connaissance. L'idée si angoissante de faire une rencontre à tout prix devient secondaire.

À vous de prendre un moment, de vous installer confortablement, pour imaginer comment vous voulez agir. Soyez curieux de découvrir :

- de quoi vous avez l'air ;
- les nouveaux gestes que vous faites ;
- ce que vous ressentez ;
- la manière dont vous parlez aux autres et à vous-même ;
- ce qui vous permet d'agir ainsi (forces, qualités) ;
- la nouvelle croyance qui émerge en vous et que vous écrirez dans votre carnet.

Forces et qualités dont on a besoin

Patrick commence alors à se voir autrement. Il réalise que même s'il a vécu, durant les dernières années, des rencontres décevantes et dévalorisantes, il a aussi connu quelques rencontres qui peuvent commencer à renforcer sa nouvelle croyance et l'idée d'un parc d'attractions. Il en a même le ticket d'entrée !

Pour cela, il a besoin de se sentir plus confiant, d'être capable de s'abandonner (par opposition au besoin de contrôle) et de s'ouvrir.

En utilisant votre carnet de voyage, après avoir visualisé vos nouveaux comportements et la nouvelle loi personnelle qui en découle, identifiez les forces, les qualités dont vous avez besoin, en vous fiant aux émotions que vous ressentez lorsque vous vivez votre nouvelle croyance. Voici quelques idées de ressources utiles : amour, confiance, lâcher-prise, humour, compassion, pardon, détermination.

Activation de ses forces

Après avoir utilisé des souvenirs agréables du passé de Patrick pour l'amener à entrer de nouveau en contact avec sa confiance, la capacité de s'abandonner et la curiosité, il se sent prêt et apte à passer à l'action.

À partir de votre liste des forces et qualités que vous avez identifiées précédemment, voici ce que vous ferez pour chacune d'elles :

- debout, définissez un espace sur le sol ;
- à l'intérieur de cet espace, revivez un moment de votre vie où vous avez ressenti et incarné la ressource de votre choix ;
- prenez soin de bien vous associer à ce ressenti et de revivre ce moment ;
- lorsque vous ressentez pleinement la ressource, pincez votre pouce et votre index pour l'ancrer, pendant environ dix secondes ;
- sortez de l'espace.

Répétez ce processus pour toutes les autres forces de votre liste. Chaque fois, vous entrerez dans le même espace que vous avez choisi sur le sol et vous utiliserez le même pouce et le même index pour ancrer.

À VOUS DE JOUER !

Au fil des jours puis des semaines, Patrick demeure vigilant et aiguise sa conscience en cherchant, dans ses comportements, les preuves de sa confiance en lui, de sa capacité à s'abandonner et de sa curiosité.

En se concentrant ainsi sur ce qu'il fait, à chaque instant, il développe de nouvelles habitudes d'agir qui fortifient, petit à petit, sa certitude d'être prêt à rencontrer la femme qui lui convient pour construire une relation amoureuse.

Au début, ce n'est pas toujours évident. Dès que la fatigue se fait sentir ou que Patrick n'est plus focalisé sur le moment présent, son ancienne loi personnelle se manifeste à nouveau et des inquiétudes, des angoisses refont surface.

Il sait qu'il est de sa responsabilité, tout comme il est de son pouvoir, de ne pas donner une importance démesurée à ces vieilles peurs, mais de se recentrer sur sa nouvelle croyance et les émotions qui y sont associées.

C'est à votre tour maintenant. Pour commencer, fixez-vous un objectif à la fois, dans un laps de temps défini. Tout comme Patrick, gardez votre conscience en éveil et modifiez une habitude après l'autre.

Rappelez-vous que, plus votre ancienne loi personnelle est âgée, plus elle peut prendre du temps pour être remplacée. Cependant, plus vous désirez votre nouvelle croyance, plus vous l'installerez rapidement.

Pour vous motiver davantage, vous pouvez aussi décider que vos vieux schémas disparaîtront de votre vie dans trois ou quatre semaines.

Notez vos réussites dans votre carnet et lisez-les chaque jour. Après tout, c'est grâce à vous que vous avez agi ainsi.

Vous saurez que votre nouvelle croyance est devenue une habitude lorsque vous n'y penserez plus et continuerez à vous comporter en accord avec elle. Éprouvez-vous de la difficulté à chasser votre vieille loi personnelle ? Plusieurs pistes s'offrent à vous :

- Assurez-vous d'avoir bien visualisé le nouveau comportement à adopter et assurez-vous qu'il est aussi plaisant et réaliste que possible.
- Vérifiez que vous avez bien identifié toutes les ressources nécessaires.
- Faites du renforcement positif en vous rappelant vos succès et vos réussites.
- Vous donnez-vous suffisamment de temps ?
- Votre croyance est tellement enracinée qu'un travail plus en profondeur, avec l'aide d'un professionnel, vous fera gagner du temps.

8. APPRIVOISER SES PEURS

Le courageux n'est pas celui qui n'a pas peur,
mais celui qui agit malgré ses peurs.
Anonyme

Très souvent, vous pourrez constater qu'au-delà des expériences à l'origine des virus de la pensée qui limitent vos comportements se cachent certaines peurs. Celles-ci grugent votre capacité d'action en vous mettant dans une perception de la réalité erronée et ont la fâcheuse tendance d'attirer à vous les circonstances, les personnes et les difficultés renforçant leur crédibilité. Devant la peur, on observe trois types de comportement: la fuite, l'affrontement et le «je tourne autour du pot». La meilleure attitude possible, qui n'en demeure pas moi la plus difficile, consiste à affronter vos peurs. Ce n'est qu'en étant le plus honnête possible envers vous-même et en apprivoisant ce qui vous effraie le plus que vous pourrez progresser et transformer vos virus de la pensée. Il s'agit d'être vrai et de faire preuve d'une grande honnêteté envers vous pour débusquer cet animal sournois se cachant dans l'ombre. Alors, il vous sera possible de le reconnaître lorsqu'il pointera le bout de son nez pour vous jouer un de ses mauvais tours que vous connaissez sans doute déjà fort bien, puisqu'il s'amuse ainsi avec vous depuis un certain temps, n'est-ce pas?

Comme mentionné, l'anxiété est avant tout un mécanisme d'adaptation et de survie. Elle est donc directement en lien avec la peur de la mort, particulièrement chez les premiers hommes dont les conditions de vie étaient précaires et composées de nombreux dangers physiques. Aujourd'hui, il s'agit davantage de peurs psychologiques associées inconsciemment à des situations évoquant en nous les aspects du décès: perte, deuil, décrépitude, fin, séparation, rupture, cassure.

ANGOISSE DE L'ÉCHEC

Alors que la réussite devient un gage de bonheur, que la concurrence professionnelle est des plus féroces, bon nombre de clients que j'ai rencontrés dernièrement sont en quête de succès dans divers domaines de leur vie. Forcés de constater que l'échec est perçu avec beaucoup d'appréhension, certains succombent parfois à l'angoisse de ne pas parvenir à atteindre leurs buts; angoisse souvent proportionnelle à l'intensité du désir de réussir et de s'accomplir en y parvenant.

L'impression de ne jamais pouvoir parvenir à ses fins sabote bien entendu toutes tentatives pour réussir et justifie ainsi les soi-disant échecs. De même, l'exigence envers soi de réussir du premier coup équivaut à s'interdire tout droit à l'erreur et, de fait, à s'engager dans un processus d'apprentissage. Mais, la vie n'offre-t-elle pas bien plus que d'être un expert ?

Quel est pour vous le sens du mot *échec* ? Souvent synonyme d'*insuccès*, de *défaite*, c'est-à-dire d'*absence de résultats attendus*, il s'agit donc déjà en lui-même d'un résultat obtenu à la suite d'une série d'actions, d'une absence d'action, de stratégies plus ou moins efficaces mises en place qui ne permettent pas de réaliser un désir. Les motivateurs vous diront que l'échec n'existe pas, qu'il n'y a qu'une rétroaction (*feedback*). Cela signifie que l'échec existe vraiment à partir du moment où vous choisissez d'abandonner la poursuite de vos objectifs et que vous décidez que les résultats obtenus sont définitifs. Or, il est plus inspirant d'envisager les résultats obtenus lors d'un processus d'apprentissage et de réajuster son tir pour se rapprocher de ses objectifs. Voilà déjà un point de vue qui soulage l'angoisse de l'échec ou, à tout le moins, qui est utile pour continuer à rechercher une manière de réaliser ses ambitions. Que faire lorsque l'angoisse de l'échec paralyse au point que toute action semble inefficace ? Voici quelques suggestions :

- Réévaluez votre motivation profonde à vouloir atteindre le but que vous vous fixez. Si vous perdez de vue le sens de ce que vous voulez réaliser dans votre vie, ce que cela apportera aussi bien aux autres qu'à vous-même, l'impuissance vous gagnera et vous perdrez de vue la place que vous occupez. Votre projet contribue-t-il toujours à donner un sens à votre vie ?

- Relativisez les résultats perçus. En d'autres termes, il s'agit de garder à l'esprit que, même si vous n'avez pas (encore) obtenu les résultats désirés, cela ne signifie pas que vous accumulez les échecs. De quoi êtes-vous fier malgré tout ?

- Faites face à votre peur de l'échec en imaginant le pire scénario, puis évaluez les conséquences négatives possibles.

Si cela devait réellement se produire, que pourriez-vous faire ? Il s'agit de retrouver votre pouvoir d'action en vous détachant du problème afin de rester concentré sur votre objectif.

- Faites du sport et fixez-vous des buts. La réalisation de vos désirs relève de votre capacité à vous concentrer et à persévérer dans une direction précise. Toute activité sportive vous permettant de cultiver cet état mental contribuera à créer une hygiène de vie favorable, à renforcer les muscles du cerveau et à mieux faire face aux imprévus. Quel sport vous aide à évacuer le stress, à faire le vide dans votre esprit et vous donne de l'énergie ?
- Appréciez les sources simples de plaisir que la vie vous offre. Souvent, la peur de l'échec est en lien avec des exigences très élevées, parfois irréalistes, ce qui cause une forme d'insatisfaction chronique. Retrouver le goût de la simplicité et du plaisir contenu dans le quotidien permet de nourrir votre motivation et votre capacité à persévérer. Qu'est-ce qui vous procure du plaisir, et ce, malgré les difficultés ?

Au-delà de ces quelques suggestions, rappelez-vous qu'une vie remplie d'accomplissement découle de la capacité à percevoir les « échecs » comme des étapes de transition. En cherchant dans les obstacles ce que vous pouvez transformer en possibilités, vous continuerez à évoluer en vous adaptant aux nouvelles situations. Vous actualiserez votre philosophie de vie et renforcerez votre persévérance et votre patience.

Peur ultime

Lors d'une entrevue pour un article, la journaliste m'a posé la question suivante : « Pensez-vous que toutes les peurs découlent de celle de la mort ? » Question intéressante. De toute évidence, la mort constitue un sujet que l'humanité a tenté d'aborder tout au long de son histoire, notamment au travers des religions qui ont toutes essayé, à leur manière, d'apporter une réponse à l'aide d'une vision, d'un code de conduite, pour le meilleur et pour le pire.

Autant de points de vue reflètent sûrement l'aspect multiple de la réponse à cette question qui, loin de trouver une issue définitive, suscite bien des réflexions.

Certains croient que la mort constitue la destination. Point de non-retour, il n'existe plus rien après ni avant d'ailleurs. Pour d'autres, la mort est le commencement de quelque chose de nouveau, le passage d'un état à un autre. L'être humain peut donc aussi bien la craindre, la désirer, la provoquer que l'accepter. De ces points de vue différents découlent nécessairement des attitudes variées par rapport à cette étape à laquelle tout être humain doit faire face, à un moment donné.

Lorsque j'observe la société contemporaine, j'ai plutôt tendance à constater que la mort fait peur, très peur. Les personnes âgées sont camouflées aussi bien par des termes plus éloquents que par des institutions qui ressemblent parfois à des prisons. Les publicités privilégient la jeunesse, la minceur (pour ne pas dire la maigreur) afin de susciter le désir du produit clamé.

Donc, loin de vouloir vous convaincre, je vous laisse regarder vous-même la position adoptée dans la culture devant la vieillesse et la mort pour trouver votre réponse, et peut-être votre propre attitude vis-à-vis de cette facette de la vie.

L'Orient, en revanche, semble avoir une position différente. Loin d'être mis à l'écart, les aînés sont intégrés dans la communauté et participent au quotidien auprès des leurs. Ainsi, les plus jeunes peuvent apprivoiser la vieillesse et envisager progressivement la détresse que peuvent susciter certaines étapes de la vie. La vie offre alors de nombreuses occasions de se familiariser avec toutes sortes de *morts*, dans le sens de « passages ». Par exemple, le passage de l'adolescence à l'âge adulte se traduit par une sorte de perte d'insouciance, d'illusions, de dépendance vis-à-vis des parents au profit de l'acquisition d'une plus grande autonomie. Reste à savoir quel point de vue sera adopté. Regarder en arrière, avec nostalgie, ce que l'enfant a été ou bien apprendre à apprécier cette nouvelle étape de vie.

De cette perception, du temps que l'on y consacre et de la préparation que l'on y accorde, c'est le sens même que l'on donne à sa propre existence qui se précise. Cette attitude vient renforcer les valeurs personnelles que vous exprimez dans le quotidien. Elle offre l'occasion d'apprendre ce qu'est la vie et de mieux s'entraîner à vivre certains changements inhérents à sa condition humaine. Aussi difficile, parfois, que cela puisse être, il est sûrement plus utile, au bout du compte, d'apprendre à y faire face chaque fois qu'une occasion se présente (rupture, déménagement, perte d'emploi, fin d'une amitié) que de continuer à avancer tête baissée. Bien entendu, c'est un choix personnel qu'il est préférable de faire en toute connaissance de cause pour vivre pleinement sa vie.

À une époque où les racines culturelles, spirituelles et religieuses semblent avoir éclaté, où de plus en plus de gens sont en recherche d'une philosophie de vie, de quelque chose en quoi croire, d'une raison d'être, le choix des valeurs personnelles influencera sûrement pour beaucoup la direction que l'on donne à sa vie, à sa qualité en matière de bonheur. Dans cet objectif, le *coach* favorise la clarification des valeurs. Il soutient la mise en application de celles-ci, notamment dans les moments plus exigeants de la vie, car c'est réellement en période de changement qu'une attitude particulière est plus délicate à adopter. Il guide et motive le *coaché* dans l'adaptation que lui demandent les événements extérieurs, l'affrontement des peurs qu'éveillent en lui les pertes qu'il traverse afin de retrouver plus rapidement et facilement une nouvelle zone de confort.

Les peurs font partie de la vie, semble-t-il, et chacun possède son lot de craintes. La peur de la solitude, de vivre, des autres, de soi, de réussir, d'échouer, de la maladie mentale. Combien de fois les peurs qui vous habitent se manifestent-elles à votre insu, vous empêchant de savourer la vie, votre vie ?

Plus fortes que vous, elles prennent les commandes et font de vos journées un enfer. Des centaines de pensées, d'idées et de doutes négatifs se bousculent dans votre esprit. Vous commencez à trembler, vos muscles se crispent, votre respiration se fige, et vous aussi !

Quelle que soit la nature de vos peurs, vous pouvez adopter différents types de comportements vis-à-vis d'elles qui vont influencer la production hormonale et contribuer à rétablir l'équilibre de votre organisme. Bien souvent, il est important dans un moment d'angoisse de vous rappeler que vous avez le choix ! Vous avez le choix d'accorder de l'importance à vos peurs, de leur ouvrir la porte de la salle des machines. La panique n'est donc pas de mise. Facile à dire, mais pas facile à faire, penserez-vous. Voici quelques suggestions :

- Pensez d'abord à respirer ! Aussi bête que cela puisse paraître, la respiration se bloque souvent dans un moment de stress. Inspirez et expirez lentement, profondément, en faisant plusieurs séries.

- Prenez du recul ! Observez vos peurs comme un spectateur regarde un bon film. Leur emprise sur votre capacité à réagir s'inscrit dans une habitude comportementale. Il s'agit du fameux « c'est plus fort que moi ! ».

- Regardez ce qui vous arrive en utilisant vos connaissances sur le fonctionnement de vos peurs et de vous-même.

- Si vous souhaitez apprivoiser vos peurs, vous devez apprendre qui elles sont. Vos peurs vous font peur ? Courage. Il s'agit d'un effort de conscience.

Soyez curieux de découvrir, pour chacune des peurs, tout ce que vous pouvez apprendre à son sujet. De quelle manière apparaît-elle ? Quelles sont les émotions qui la nourrissent ? Dans quels souvenirs les racines de votre peur s'enfoncent-elles ? Est-il possible que vous amplifiiez l'impact de ces moments du passé dans votre présent ? Si oui, comment faites-vous cela ? Dans quel but ?

Autant de questions à vous poser pour mieux maîtriser vos peurs, vivre avec elles et finir par les intégrer.

VAINCRE SES PEURS

Frank Zappa affirme que «l'esprit, c'est comme un parachute : s'il reste fermé, on s'écrase». Si vous souffrez de peur chronique et que celle-ci vous confine dans une vision étriquée, il est temps pour vous de découvrir un sens nouveau à votre peur et de voir ses utilités dans votre vie.

Prenons l'exemple d'une personne que j'appellerai Frank. Frank vit avec une profonde peur de décevoir les autres, particulièrement les femmes. Celui-ci se dit de nombreuses choses dans sa tête à l'idée de souper avec une conquête potentielle :

- Vais-je lui faire peur en allant trop vite ?
- Puis-je payer la note au restaurant ou va-t-elle mal interpréter mon geste ?
- Elle risque de s'ennuyer durant le souper, car je ne parle pas beaucoup.
- Je ne suis pas un grand comique.

Autant de jugements, de préjugés sur lui qui permettent à cet homme de se mettre une grande pression sur les épaules. Il renie du même coup ce qu'il est, ses qualités et offre un beau plat de résistance à sa peur de décevoir. Résultat : il hésite longuement puis, au prix d'un immense effort, se décide à inviter cette femme. Durant le souper, celui-ci est tellement concentré sur sa peur de décevoir qu'il semble nerveux, agité et ne profite pas du souper, encore moins de sa charmante compagne qui voit en lui quelqu'un de timide, de gêné et, finalement, d'ennuyeux. En regardant de plus près le discours intérieur de Frank, on peut s'interroger sur la nécessité de parler beaucoup pour pouvoir inviter une personne au restaurant. Est-il vrai que toutes les femmes sont uniquement attirées par des hommes qui ne leur laissent pas l'espace pour en placer une ? Qui plus est, il doit *forcément* être un grand comique digne de ce nom pour avoir le droit de souper en agréable compagnie, faute de quoi cela fait *obligatoirement* de lui une personne ennuyeuse qui finira vieux garçon ! Allons, allons, d'où viennent toutes ces idées et certitudes ? Est-ce écrit quelque part dans le manuel du parfait Don Juan ? Outre le fait qu'il se met tout ce stress sur les épaules, Frank nourrit sa peur, s'empêche d'être lui-même et s'oblige à être quelqu'un d'autre, une personne qu'il n'est pas. Il est bien évident que ce langage intérieur, qui vient d'on ne sait où, ne l'aidera pas à passer une agréable soirée.

Trêve de sarcasmes. Loin de se moquer de Frank, ce sont les scénarios qui lui traversent l'esprit qui sont risibles. C'est en le réalisant qu'il peut commencer à envisager la possibilité que certaines femmes apprécient des hommes qui savent écouter et qui s'intéressent aux autres. Cela peut l'amener à envisager comme une qualité ce qu'il concevait au départ comme un handicap. Si, au lieu de se dire qu'il va trop vite, il se montrait curieux de découvrir le rythme de celle qui lui plaît et de lui faire découvrir le sien du même coup ?

C'est en découvrant comment Frank peut exprimer ses talents et en reconsidérant ce qui nourrit sa peur de décevoir qu'il peut trouver des solutions et des moyens d'intégrer cette crainte dans sa vie tout en se respectant. Il peut même, avec un peu d'exercice, découvrir qu'en réalité, ce qui était une barrière s'avère un tremplin pour clarifier une relation naissante, approfondir sa connaissance de lui-même tout en apprenant à connaître cette inconnue. Ce faisant, il lui offre la possibilité d'en faire autant, dans un respect mutuel et dans le plaisir, le plaisir de la liberté d'être lui-même.

Deuxième partie

Renverser la vapeur !

Le pessimiste se plaint du vent.

L'optimiste espère qu'il changera.

Le réaliste ajuste ses voiles.

William Arthur Ward

De façon générale, la plupart d'entre nous ne se posent pas de questions quand tout va bien dans leur vie. Leur existence semble légère et des pensées positives et agréables les habitent. Ils respirent la confiance, diffusent une forme de beauté, de santé et d'accomplissement d'eux-mêmes. Il y a une sorte de sérénité dans cette période, d'harmonie et de fluidité dans les événements. La vie est aussi délicieuse que la saveur d'un fruit mûr et sucré dans lequel on voudrait mordre, encore et encore ! Un peu comme si l'été durait douze mois par année.

En revanche, quand les choses se gâtent, que les complications, les retards, les « mauvaises surprises » font leur apparition, le calme et le bien-être ont tendance à disparaître. On s'énerve facilement, rapidement, on se fait toutes sortes d'idées, on stresse et hop ! c'est assez pour perdre son bien-être, se mettre en colère, devenir frustré. C'est à se demander comment on peut perdre aussi rapidement son centre. Tout allait si bien et voilà que, le temps de le dire, tout va mal, et on semble victime de la loi des séries.

Passer d'un état d'esprit positif à un autre plus négatif ne demande donc pas un grand effort en lui-même. Il est même aisé de glisser de l'un à l'autre, un peu comme pour un fumeur qui allume cigarette après cigarette. Par contre, aller dans le sens inverse est plus exigeant et nécessite de développer certaines qualités pour y parvenir. Cette nage à contre-courant pour remonter le fleuve des idées négatives peut trouver sa force dans la ferme conviction qu'il est d'abord possible d'éradiquer les pensées et les émotions désagréables. Sceptique ? Réfléchissez-y un moment.

Vous avez sûrement vécu au moins une fois dans votre vie un moment où vous n'alliez pas bien, où vous aviez juste envie de vous laisser tomber dans le puits sombre du pessimisme. Malgré tout, quelque chose ou quelqu'un est venu vous tendre la perche pour vous éviter la noyade. Vous vous êtes peut-être forcé à sortir avec des amis, à partir quelques jours ou à rire. Même si le cœur n'y était pas, vous l'avez fait et, étrangement, cela a changé le mal de place, un peu. Vous avez peut-être même ressenti un certain soulagement. Les difficultés n'ont pas disparu pour autant, mais votre état intérieur s'est modifié.

Le cerveau fonctionne un peu de cette manière. En l'entraînant à cultiver des états d'esprit positifs, ceux-ci peuvent agir comme des antidotes aux tendances négatives qui sapent le moral, faussent la perception des événements et compliquent les relations. Plus on renforcera l'efficacité de ces antidotes, plus on sera capable d'atténuer la puissance des émotions et des pensées déstabilisantes tout en réduisant leurs conséquences.

Au début, il peut être difficile d'y croire. Qu'importe ! Autorisez-vous à vous parler tous les jours de manière positive, valorisante, avec gentillesse et bienveillance et vous verrez, ou plutôt, vous le ressentirez. Avec le temps, ce simple exercice s'avérera bien plus qu'une application d'un concept de pensée positive et vous commencerez à trouver des preuves.

Le *coaching*, comme je le conçois, repose sur l'idée que les contrariétés et comportements inefficaces viennent d'une perception de la réalité erronée et de conclusions faussées. Cela peut paraître superficiel, mais il n'en est rien. Nombre d'études ont démontré que le fait de remplacer ces modes de pensées faussées par des idées plus réalistes agit sur le mental et le moral, diminuant ainsi l'anxiété et favorisant un mieux-être. En identifiant ces déformations de la pensée, le *coach* guide son client à rétablir une carte du monde plus exacte, ce qui devient, en un sens, un remède aux états de la pensée néfastes engendrant de la souffrance. Par exemple, pour une personne anxieuse, c'est une inquiétude démesurée, des peurs et des idées pessimistes, fatalistes, qui sous-tendent le mal-être. Les événements sont souvent perçus sur le plan du « tout ou rien » et de la généralisation excessive. Ainsi, une erreur ou un examen raté amèneront l'anxieux à se dire qu'il n'est qu'un bon à rien ou qu'il ne réussira jamais dans la vie. On retrouve aussi souvent une vision sélective du quotidien conduisant l'anxieux, dans sa journée, à ne garder en mémoire que les mauvaises choses qui se sont produites et à ignorer, parfois totalement, les bonnes choses.

Le *coach*, par son expertise, entraîne et encourage l'anxieux à développer sa vigilance quant à ses propres pensées négatives et aux comportements qui en découlent. De cette manière, la personne anxieuse apprend à traiter ses pensées anxiogènes comme un virus, à mieux maîtriser son apparition spontanée et à corriger activement ses perceptions dénaturées, de toutes les manières appropriées, au travers d'outils concrets, d'exercices et d'affirmations servant d'antidotes.

1. PERCEPTION FIGÉE

Cela ne sera sûrement pas une grande découverte pour vous si j'affirme que le changement est inévitable, qu'il est l'une des caractéristiques fondamentales de la vie et qu'il comporte son lot d'anxiété. Au-delà de la vitesse à laquelle certains changements surviennent, laissant croire parfois que le temps s'accélère, il existe les changements désirés et ceux qui semblent nous tomber dessus à notre insu. Je m'attarderai davantage sur ces derniers, car qui se plaindrait qu'un changement désiré se concrétise dans sa vie ?

Un événement inattendu possède souvent, au moment de sa découverte, une saveur remplie de perplexité, d'appréhension et de peurs qui peuvent surgir par rapport à la perspective d'un avenir incertain, insécurisant et anxiogène. Or, l'apparition de cette anxiété, si elle est canalisée correctement dès sa naissance, favorisera un recul nécessaire pour amorcer un regard différent sur la situation en évolution. La clé de cette disposition étant d'abord d'accepter que ce qui est ne sera plus, dans quelque temps, et offrira un espace de création, d'amélioration et d'occasion qui est encore à concrétiser. Mais, la potentialité d'amélioration est bel et bien là.

S'ouvrir à la réalité de ce changement qui survient dans sa vie contre son gré n'exige aucunement, même si c'est souvent la tendance première, de faire le lien avec un manque, l'insécurité ou la perte d'une qualité de vie. Bien au contraire, il est nettement plus pertinent pour tourner la situation à son avantage avec une certaine aisance, de se rappeler qu'il y a aussi des avantages à ce que cette transformation se produise. Telle cette femme qui apprend son futur licenciement alors qu'elle maudit son emploi quotidiennement, son premier élan sera sûrement de s'inquiéter pour son avenir, le paiement de son loyer, ou bien, elle pourra accepter la réalité de cette évolution qui s'offre à elle et chercher les possibilités de s'adapter à une situation insatisfaisante pour se diriger vers un autre palier, plus épanouissant. L'avenir encore flou qui se profile à l'horizon exige, certes, d'être affiné pour pouvoir se réaliser avec une certaine fluidité, mais c'est là le premier pas : chercher à tourner la situation à son avantage pour s'en servir comme d'un levier et avancer. Il existe donc trois façons d'appréhender les événements : l'optimisme, le pessimisme et le réalisme.

Les optimistes, qui voient presque toujours la vie en rose, ont tendance à envisager naturellement l'aspect positif des événements, à trouver un bon côté aux événements, même délicats. Ils croient que les moments désagréables de la vie sont un mal pour un bien. Aux yeux de l'optimiste, il existe une raison utile et avantageuse à une situation frustrante ou pénible, même si celle-ci lui échappe de prime abord. Il demeure malgré tout confiant et persuadé que le temps à l'œuvre, la réflexion et sa capacité d'adaptation lui permettent de rebondir. Il parviendra à utiliser cette période à son avantage pour évoluer vers plus d'harmonie et un nouvel équilibre. L'optimiste a souvent foi en quelque chose : en lui, en la vie, en ses semblables. Il puise alors dans cette croyance la motivation nécessaire pour prendre des initiatives.

Les pessimistes, quant à eux, mettent l'accent sur l'aspect désagréable des situations. Leur philosophie de vie les amène à percevoir la vie sous l'angle de la souffrance, des pertes, de la difficulté, de la lutte. Leur motivation est très minime, car pour eux, la vie est synonyme de douleur, et le sens souvent attribué à la vie consiste à agir pour tenter d'obtenir ce qu'ils ne possèdent pas et qui représente la source de leur malheur. Chez certains pessimistes, la vision négative de la vie vient d'une soif de puissance difficilement assouvie, qui filtre le regard en mettant l'accent sur ce qui les empêche de satisfaire cette volonté de pouvoir.

L'optimisme est sans doute la meilleure arme dans ce genre de contexte et repose sur une confiance en soi, et en la vie, puisée dans un état de sécurité, de foi en ses propres capacités d'adaptation que tout se déroule exactement de la manière qui convient, celle qui est la meilleure pour soi, même si l'on ignore le grand dessein qui se trame en arrière-plan de ce scénario.

Demeurer optimiste dans une situation de changement non désiré ne signifie pas rester assis à ne rien faire et attendre bien gentiment que tout se remette en ordre tout seul. Il s'agit plutôt de s'interroger sur la manière de profiter de la situation pour réaliser une percée dans sa vie et tendre vers un bonheur plus grand. En fait, l'optimiste, en puisant dans cette conviction intérieure que le fleuve de la vie le conduit à bon port, pourra se libérer plus facilement des soucis de la vie matérielle et s'interroger réellement sur le meilleur sens possible à donner à tout changement indésirable. Réfléchissez à cela un instant, voulez-vous ?

Dressez la liste des trois derniers changements non souhaités dans votre vie. Autrement dit, de ce qui vous a paru être des « échecs ». N'est-il rien ressorti de positif et de meilleur dans votre vie à la suite de ces trois étapes marquantes ? Peut-être que vos plus grandes épreuves vous ont amené à vos plus grandes réalisations.

Vous remarquerez sûrement, grâce à vos expériences de vie, qu'au-delà des nuits blanches que vous avez pu passer, les scénarios négatifs que vous engendrez mentalement lors de nouvelles que vous avez perçues comme mauvaises, n'ont finalement contribué qu'à rendre le changement encore plus difficile à accepter et désagréable. Pourtant, avec du recul, était-ce si négatif ? Très souvent, il n'en est rien.

Malgré tout, le monde ne peut être perçu selon une pensée binaire, c'est-à-dire selon une perception des événements uniquement optimiste ou pessimiste. Dans un monde régi par le relatif, appréhender la réalité de façon absolue et définitive revient à avancer avec des œillères. Aussi, il convient de développer une pensée réaliste, synthèse du pessimisme et de l'optimisme.

2. PERCEPTION RELATIVE

Les réalistes ont donc une vision plus globale et juste de la vie. Ils peuvent ainsi faire des actions précises pour utiliser le changement à leur avantage en tenant compte des risques, des limites ainsi que des possibilités qu'offre chaque situation.

Pour bien des anxieux – et certainement vous –, le pessimisme guide votre regard sur le monde de manière négative. Votre discours interne et vos émotions, par le simple fait d'évoquer une action, de rêver à la réalisation d'un désir, briment votre capacité de réussite en attirant votre attention sur tout ce qui peut favoriser l'échec de votre projet. Ne regardant (presque) pas ce qui peut favoriser votre réussite, vous manquez des occasions d'évoluer en vous privant d'apprendre des expériences qui s'offrent à vous. Franchement, entre vous et moi, comment voulez-vous réussir en pensant ainsi ?

Il est donc essentiel que vous élargissiez votre perception de ce que vous vivez. À votre habileté de pessimiste, vous ajouterez un zeste d'optimisme pour développer votre capacité à être réaliste. Comment ? Tout simplement en cherchant pour chaque aspect négatif d'une situation sa contrepartie positive. C'est en percevant les deux facettes de la médaille que vous élargirez votre vision et ferez preuve de réalisme.

De cette synthèse, le réaliste peut trouver la force de demeurer maître de ses pensées et d'appréhender l'événement inattendu pour surfer dessus et suivre le courant, tout en réajustant la destination et parfois l'itinéraire envisagé. En somme, l'optimiste puise, dans les difficultés passées de son existence, la sagesse qu'il aura beaucoup plus à gagner de se rappeler qu'il peut tirer quelque chose de bénéfique vis-à-vis de ce qui se présente dans sa vie. Il sait, par son expérience et les leçons apprises à l'école de la vie, que ce qui semble de prime abord être un malheur peut en fait se révéler plus tard un bonheur. Souvent, au fond de lui, il a souhaité, d'une certaine manière, que cela se produise, comme cette femme qui rêvait secrètement de ne plus exercer cet emploi qu'elle détestait tant.

Aux yeux de la personne réaliste, chaque événement inattendu est considéré comme un nouveau défi offrant la possibilité d'affirmer sa confiance en la vie, en elle et de découvrir de nouvelles ressources intérieures à l'état latent pour en dégager une meilleure connaissance de ses vérités propres.

L'évolution vers ce que vous êtes appelé réellement à exprimer sera en marche et vous pourrez trouver votre équilibre dans le labyrinthe de la vie en explorant de nouvelles avenues et en développant votre pouvoir personnel.

3. LE POUVOIR PERSONNEL

J'avais trop longtemps attendu de pouvoir pénétrer un jour
Dans un monde jusque-là interdit,
Pour ne pas accueillir avec une émotion profonde
L'occasion de pouvoir en franchir enfin les limites.
Théodore Monod

Quels que soient l'intensité de votre angoisse, la fréquence de vos crises d'anxiété et les symptômes que vous avez, il est essentiel que vous commenciez par croire que vous avez du pouvoir sur votre état.

La question n'est pas tant de savoir pourquoi ni comment vous avez créé ce que vous vivez dans votre vie, mais bien de vous demander ce que vous pouvez faire pour améliorer votre bien-être, ici et maintenant.

Et c'est en cela que réside votre pouvoir: construire un avenir meilleur.

Certains d'entre vous penseront que c'est justement par une grande capacité, presque maladive, à manifester du contrôle qu'ils en viennent à être stressés, à ne plus dormir. Pourtant, combien de fois ai-je entendu que c'était plus fort qu'eux ?

Si vous faites partie de ceux qui croient que c'est plus fort qu'eux, prenez conscience que ce n'est pas vous qui exercez le contrôle sur votre vie, mais bien vos pensées.

En réalité, vous avez abdiqué et donné ce pouvoir à votre esprit, qui laisse libre cours à vos inquiétudes, à vos peurs et à toute cette agitation mentale, pour ne pas dire à ce chaos. Le véritable contrôle ne s'exerce pas sur votre environnement. Il réside davantage dans la connaissance de vous-même, de vos pensées, du fonctionnement et de l'utilisation de votre esprit.

L'anxiété et les angoisses sont en fait un dérapage des inquiétudes et des peurs qui prennent le contrôle sur votre vie, exercent un pouvoir sur votre capacité à agir et dictent vos choix et comportements.

Afin d'être sur la même longueur d'onde, il serait utile de différencier *contrôle* et *pouvoir*. Qu'est-ce que ces mots évoquent en vous ?

Le contrôle

Selon le *Petit Robert*, le mot *contrôle* possède plusieurs significations: « vérifier, surveiller, manifester une maîtrise sur quelque chose ou quelqu'un (contrôle de soi) ». Le contrôle s'exprime donc de différentes manières.

Il est intéressant de remarquer que l'angoisse et l'anxiété contrôlent la vie de ceux qui vivent avec ces émotions.

D'un autre côté, connaissez-vous plusieurs anxieux qui appliquent les autres interprétations du mot *contrôle* ?

Avez-vous déjà songé que votre angoisse et votre anxiété sont des outils de vérification et de surveillance des différents domaines de votre vie ?

Étymologiquement, *contrôle* est formé de la contraction de *contre* et de *rôle*. Initialement, ce terme renvoie à un registre, tenu en double par le rôle et le contre-rôle, afin de vérifier le déroulement d'une action. Quel est donc le contre-rôle des sentiments désagréables que vous vivez en jouant un rôle ? S'agit-il de vérifier que vos actions sont en accord avec vos pensées, avec vos désirs, avec vos croyances ? Que les choses se déroulent exactement selon vos propres règles ?

Paradoxalement, certains experts du contrôle – dont vous peut-être ? – ne peuvent tellement pas s'en passer qu'il en devient aussi toxique qu'une drogue et qu'en lui réside tout leur pouvoir.

Le contrôle détient votre pouvoir et pour vous le réapproprier, vous aurez à développer l'habitude de lâcher prise qui est présentée au prochain chapitre.

Le pouvoir

Toujours d'après le *Petit Robert*, le mot *pouvoir* évoque la possibilité de faire quelque chose : « Je peux. »

Il s'agit donc de croire et de penser que vous avez la faculté de « faire », la force de « savoir », d'apprendre, d'agir, de changer. Vous êtes donc capable de « faire », vous êtes susceptible de « faire », vous êtes en mesure de « faire ».

Le pouvoir est fonction du corps et de l'esprit, c'est-à-dire de certaines conditions (santé physique, éducation, religion, manière de penser, attitude par rapport à la vie, etc.). Il est donc possible d'accroître son pouvoir en modifiant les conditions dont il découle.

Dans le mot *pouvoir*, on trouve le verbe *voir*. Ce verbe a bien des choses à vous montrer sur vos habitudes de la pensée et sur les inquiétudes qui vous assaillent. Ne croyez-vous pas ? Encore faut-il regarder correctement, ou plutôt, différemment. Le pouvoir de voir autrement, d'élargir votre regard sur les émotions désagréables d'angoisse et de stress vous offre le choix d'agir de différentes façons.

Pouvoir et contrôle sont liés. J'oserais même avancer l'idée que le pouvoir s'acquiert au travers de la vue, en aiguisant votre capacité à surveiller. Vérifiez la valeur de vos inquiétudes et de vos peurs. Ce faisant, vous les disciplinez, les contrôlez. Cela vous permet d'augmenter votre pouvoir sur celles-ci. Vous voyez plus objectivement les situations et votre capacité à gérer vos angoisses s'améliore.

Commencez par croire que vous avez du pouvoir sur votre bien-être. Avec patience, discipline et enthousiasme, vous parviendrez à élargir votre perception des événements de votre vie et de vos angoisses.

Maintenant, je vous propose de développer un nouveau regard.

Identification de ce qui vous habite

En entrant pour la première fois dans mon bureau, Catherine, à peine installée sur le fauteuil, se présente en me disant : « Bonjour, je suis une anxieuse généralisée depuis cinq ans. Plus je lutte contre mes angoisses, plus je suis épuisée, mais je ne dors pas pour autant la nuit. Je pense sans arrêt, m'inquiète constamment pour les autres et pour tout, que ce soit par rapport à ce que mangent mes enfants, à la manière de plier les serviettes. » Intrigué, je lui demande de me décrire comment elle voit son angoisse et ses inquiétudes constantes, ce à quoi Catherine s'empresse de me répondre: «Oh! c'est comme un gros chien qui est là, tout proche, et je veux tellement qu'il s'en aille, mais il refuse de bouger. On dirait même qu'il veut me mordre.»

Trop souvent, les clients que je rencontre pour la première fois parlent d'eux et se définissent selon un diagnostic, une étiquette qu'on leur a collée sur le front, parfois jusqu'à la fin de leur vie. Bien qu'il soit utile de nommer ce que l'on a, il s'agit bel et bien de préciser ses symptômes et de ne pas s'identifier à eux. Pourtant, j'entends fréquemment les gens dire: «Je suis bipolaire, je suis anxieux, je suis déprimé.» Chaque fois, je m'oppose vivement à ce langage qui touche directement l'identité de la personne au détriment de ce qu'elle est profondément.

Vous n'êtes pas une maladie, pas plus que vous êtes vos symptômes! Vous avez des sensations, mais vous n'êtes pas vos sensations. Vous avez des angoisses, mais vous n'êtes pas vos angoisses. Vous avez des craintes et des espoirs, mais vous n'êtes ni les unes ni les autres.

Aussi, puisque vous n'êtes rien de tout cela, vous pouvez personnifier à l'aide d'un archétype, d'une image, d'un objet ou d'un paysage ce que vous ressentez et pensez. Quel symbole représente le mieux votre anxiété?

RÉTABLISSEMENT DE LA COMMUNICATION

Catherine, bien qu'effrayée par le chien qui la regarde, commence la conversation: «Salut, je m'appelle Catherine. Et toi?» Le chien, refusant de dire son nom, pose sur elle des yeux intrigués. Faisant remarquer à Catherine son attitude habituelle de l'ignorer et de le mettre à l'écart de sa vie, l'animal doit sûrement être sur la défensive. Il a peut-être besoin d'un peu de temps pour se sentir à l'aise ou pour lui dire quelque chose d'autre. Catherine, portant alors à nouveau son attention sur le chien, lui dit: «Sois sans crainte. Je souhaite simplement discuter avec toi et t'écouter. Jusqu'à présent, je t'ai seulement entendu. Je voudrais te connaître. » Le chien répond : « Enfin, il était temps. Je m'appelle Hermès. »

Maintenant que vous avez donné forme à ce qui se trouve en vous, mais que vous ne voulez plus avoir, j'imagine que vous voyez pour la première fois cet inconnu. Comme vous pouvez sûrement le constater, il y a vous et l'autre, ce symbole que vous venez de trouver. Bien que vous le connaissiez peu ou pas du tout, gardez en tête que vous lui avez donné votre pouvoir, ou qu'il l'a pris, ce qui revient au même. L'idée n'est pas de le lui arracher, mais de faire connaissance.

Quel que soit le symbole qui représente les émotions désagréables qui vous habitent, afin de reprendre votre pouvoir en douceur, il est nécessaire que vous appreniez à connaître ce que j'appellerai l'Autre (qui correspond à votre symbole).

Faites exactement comme si vous rencontriez une nouvelle personne, au cours d'une soirée, par exemple. Vous lui direz d'abord : « Bonjour, je m'appelle… Et toi ? Comment vas-tu ? D'où viens-tu ? »

Au fur et à mesure que vous dialoguez avec l'Autre, apprenez à le connaître et dirigez la conversation vers la raison de sa présence dans votre vie et ce qu'il veut pour vous. Demandez-lui clairement, quand le climat de confiance est établi, quel est son objectif en se manifestant de cette manière. Il est important de bien dégager son intention. Parfois, vous aurez à creuser ses réponses jusqu'à obtenir son but.

Se réapproprier son pouvoir

En faisant connaissance avec Hermès, Catherine découvre la raison de sa présence dans sa vie : se respecter.

Lorsque vous avez découvert ce que l'Autre veut pour vous, votre regard peut commencer à changer. Vous comprenez maintenant que son intention est positive, mais qu'il est maladroit dans sa manière de la satisfaire. Faites-lui savoir, comme vous le feriez avec un enfant, qu'il pourrait agir différemment, de manière à ce que cela soit plus confortable. Précisez-lui aussi que maintenant, vous vous engagez à l'écouter autant que cela vous est possible pour l'aider à réaliser son objectif. De cette manière, vous reprendrez possession de votre pouvoir.

En créant une collaboration avec l'Autre, vous participez tous deux à satisfaire vos buts respectifs et vous rétablissez votre équilibre intérieur.

SUIVRE LE COURANT

Refuser le changement revient à refuser de vivre. Vous bloquez ainsi l'évolution de la vie en vous et créez une dichotomie intérieure. La nature humaine appelle à évoluer, à grandir. Bloquer cet élan, c'est d'une certaine manière mourir. Aussi douloureux et difficile que le changement puisse être parfois, il fait partie de la vie.

L'angoisse et l'anxiété peuvent constituer un signal d'alarme indiquant que vous avez cessé d'évoluer. Il sonnera de plus en plus fort jusqu'à ce que vous l'écoutiez et acceptiez de grandir, de réactualiser vos comportements en vous adaptant aux nouveautés qui se présentent dans votre vie.

La peur est une petite mort. Il est de votre ressort d'apprendre à apprécier chaque instant de la vie, car un jour ou l'autre, vous n'existerez plus et plus rien n'aura d'importance à ce moment-là. En cherchant la joie dans la découverte, vous pouvez envisager la vie comme une aventure riche en potentialités et apprendre à intégrer l'incertitude du changement. Ainsi, prêt à l'accueillir, vous développez votre capacité à réagir aux imprévus de la vie et non plus à les subir. C'est en cela que réside votre pouvoir. Acceptez plus facilement les choses, comme elles viennent, en découvrant comment grandir au fil des événements.

Le pouvoir, c'est aussi, au travers de ce que l'on perçoit, être capable de remettre en question sa propre perception. Cultivez le doute et gardez en tête que l'angoisse est peut-être une mauvaise chose, ou peut-être une occasion riche d'évolution.

Le doute favorise un état de curiosité et laisse place à une ouverture pour saisir les nouvelles occasions qui se présentent à vous. Libre à vous de décider si cela vous intéresse ou non.

4. S'AIDER SOI-MÊME

Aimer, c'est perdre le contrôle.
Paulo Coelho

L'anxiété exige beaucoup d'énergie pour exister dans votre vie. En plus, elle aliène votre liberté. La liberté d'être vous et de faire tomber les barrières en élargissant vos possibilités signifie que vous utilisez votre plein potentiel et que vous avez accès à votre force de réalisation. Créer votre vie et réaliser vos rêves sont des actes d'amour de vous et des autres. C'est donc en cultivant l'amour que celui-ci pourra grandir et prendre la place des peurs qui vous habitent.

Vous aimer vous-même implique que vous vous connaissiez et que vous acceptiez ce que vous êtes, aussi bien vos qualités que vos défauts, vos goûts, vos aspirations, vos expériences de vie. Même si la psychothérapie ou tout autre moyen de développement personnel favorisait cette découverte et la facilitait le plus souvent, cela n'en demeure pas moins un vecteur. Vous êtes la seule personne capable de découvrir ce qui constitue votre vérité. C'est donc votre responsabilité.

Personne d'autre que vous n'est en mesure d'explorer vos richesses et de les utiliser. Alors, auriez-vous peur de ce dont vous êtes capable ou, pire encore, de qui vous êtes ?

Tout comme la graine contient en elle une fleur en devenir, commencez par croire que vous avez le pouvoir, grâce à l'amour que vous avez pour vous-même, de trouver un moyen d'être et d'agir pour concrétiser votre pensée.

Quoi que vous ayez comme rêves à l'intérieur de vous, s'ils sont là, c'est qu'ils sont viables. Sinon, vous n'y penseriez pas et vous n'auriez pas acheté ce livre ! Votre défi est donc plus une question de moyens que de fin en elle-même.

Comprenez-moi bien, je ne suis pas en train de vous dire que vous devez vous acharner à réaliser vos projets. L'amour ne peut circuler et grandir si vous utilisez cette énergie pour vous forcer et lutter contre vous-même ou votre environnement. Il est plus efficace et facile de la faire circuler.

Vous avez tout à gagner en restant concentré sur votre objectif et en demeurant ouvert aux différentes possibilités que vous avez d'y parvenir, même si vous trouvez que cela prend trop de temps.

Considérez le temps comme un allié qui vous permet de mûrir et d'apprendre de vos actions pour développer des habitudes contribuant à votre bien-être.

Il s'agit en quelque sorte d'apprendre à aimer le chemin que vous empruntez et qui vous conduira à vos buts en restant ouvert aux routes secondaires comme aux autoroutes que vous pouvez croiser.

Vous savez aussi précisément que possible ce que vous désirez dans votre vie et vous découvrirez, chemin faisant, comment transformer vos désirs en réalité.

En développant cette attitude, chaque expérience que vous goûtez vous offre l'occasion de vous demander si c'est un bonheur ou un malheur définitif. Sur ce chemin, vous apprendrez beaucoup à votre sujet et votre amour en sera enrichi jusqu'à ce qu'il rayonne.

Au lieu de vous donner des coups de bâton sur la tête, faites preuve d'amour envers vous, déposez au vestiaire votre fardeau de mal faire et avancez en agissant selon votre volonté. Accordez-vous le droit d'apprendre en vous offrant la permission de faire ce que l'on appelle communément des erreurs. Cessez de juger celles-ci uniquement en matière de résultats et félicitez-vous d'avoir osé.

Gardez présent dans votre esprit qu'au moment où vous agissez, vous faites de votre mieux compte tenu de la situation et de vos capacités. Vous ne pouvez que vous améliorer et apprendre sur vous, quoi qu'il se passe. Alors, donnez-vous cette permission. Vous en valez la peine ! Et faites preuve d'indulgence, votre honneur !

Trouver un chemin vers soi

1. Voici quelques étapes pour trouver un chemin vers vous :

   Commencez par dresser une liste de :

- compétences (au moins cinq) ;
- choses qui vous procurent du plaisir dans la vie, activités, champs d'intérêt (une dizaine) ;
- réalisations dont vous êtes fier, un examen, un voyage, un emploi, un plat cuisiné (autant que vous puissiez en trouver !) ;
- gens, amis, membres de votre famille qui vous aiment et dont le regard vous valorise.

2. Prenez un moment pour vous recueillir dans un espace où vous serez tranquille. Imaginez de quoi vous aurez l'air lorsque vous serez libéré de vos peurs, de votre angoisse et que vous dégagerez tout l'amour qui règne en vous, en incluant ce qui figure dans votre liste.
3. Durant les prochaines semaines, amusez-vous à être vous-même. Dites ce que vous pensez et ressentez en commençant

par des contextes faciles. Libérez-vous de vos émotions et faites preuve d'amour au travers de vos gestes et paroles.

4. Choisissez un pot en verre.

Chaque fois que vous ferez ce que j'appelle un « acte d'amour » envers vous-même, que ce soit une émotion exprimée, une réussite, un plaisir que vous vous offrez, vous mettrez une pièce, de 25 cents par exemple, dans votre pot. Par analogie, imaginez chaque fois que c'est de l'affection, de la satisfaction et de l'amour que vous accumulez en vous, et lorsque le récipient sera plein, je suis curieux de savoir ce que vous en ferez.

La recherche du plaisir

Pour certaines personnes, la recherche du plaisir – si elle n'est pas satisfaite – peut engendrer toutes sortes de sentiments opposés à l'amour, comme la frustration, la colère, la haine, le découragement.

Avez-vous déjà eu peur de ne pas obtenir ce que vous désirez ou de perdre ce que vous avez acquis ? Si vous observez vos pensées sur ce point, vous risquez de découvrir que votre esprit a tendance à compliquer les choses en pensant ainsi et peut aller jusqu'à créer des problèmes.

Supprimer vos angoisses et votre anxiété revient à orienter vos désirs non pas sur la satisfaction du plaisir, mais plutôt sur la qualité du moment vécu, sa beauté et le chemin parcouru vers le plaisir, qu'il soit comblé ou pas.

Le plaisir non assouvi, frustré ou castré suscite bien des conflits en vous qui nourrissent vos peurs et renforcent votre anxiété. Exprimer celles-ci au fur et à mesure favorise votre esprit à savourer la joie contenue dans votre quotidien au lieu de courir après la réalisation d'un plaisir qui est peut-être somme toute utopique ou nostalgique. Et s'il n'est ni l'un ni l'autre, cela veut dire que votre désir est réalisable et que vous parviendrez à goûter au plaisir qu'il peut procurer, mais qui ne ressemble, peut-être pas, à ce que vous imaginez.

Quoi qu'il en soit, la peur est reliée à un objet, à quelque chose de précis (même si c'est irrationnel) ou à quelqu'un. Fuir votre peur revient à ignorer et à rejeter l'objet de votre désir, donc son éventuelle réalisation !

Par la mise en place de toutes sortes de leurres et de stratégies, vous développez une manière de voir, d'agir et d'être pour tenter de vous débarrasser de vos peurs (en fait, les maintenir en vie), alors que vous pourriez utiliser ces dernières afin de mieux vous connaître.

Anxiété, angoisse et peur résultent de pensées vagabondes qui mobilisent une grande quantité d'énergie afin d'affronter l'incertitude de l'avenir ou la répétition d'un événement du passé.

Si vous voulez modifier votre manière de voir la vie pour ne plus orienter votre esprit uniquement sur le futur ou les jours écoulés, cela implique de vous observer vous-même dans votre manière de penser et de communiquer, aussi bien avec vous qu'avec autrui.

Vous avez sûrement remarqué à quel point votre esprit est continuellement en train de passer d'une idée à l'autre. Portez votre regard sur vous-même pour observer le plus honnêtement possible vos peurs et tout ce que vous êtes au-delà d'elles.

Pour vous aider, je vous propose un outil d'exploration de vos peurs. Idéalement, faites-vous poser les questions par une autre personne :

1. Tout d'abord, prenez cinq feuilles de papier sur lesquelles vous écrivez :

- *Ma peur*
- (au recto) *À quoi cette peur me sert-elle ?*

- (au verso) *Quelles nouvelles pensées puis-je développer ?*
- (au recto) *Quelles émotions nourrissent cette peur ?*
- (au verso) *Quelles émotions nourrissent mes nouvelles idées ?*
- (au recto) *Quelles sont les conséquences négatives de cette peur ?*
- (au verso) *Quelles sont les conséquences positives de mon nouveau regard ?*
- (au recto) *Quelles sont les expériences à l'origine de cette peur ?*
- (au verso) *Quelles sont les expériences positives qui contredisent cette peur ?*

2. Disposez les feuilles sur le sol de la façon suivante :

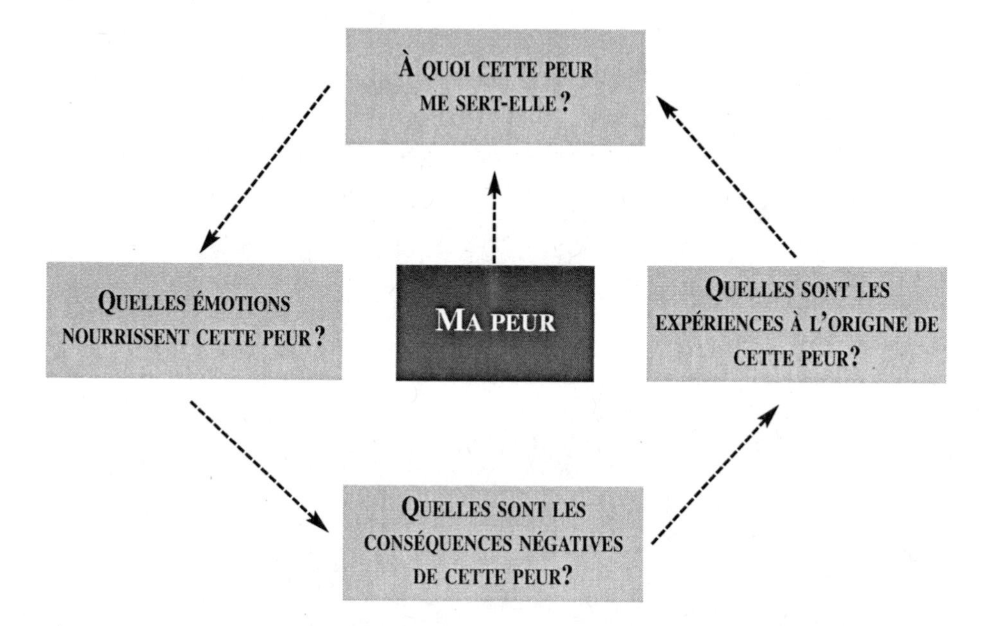

3. Placez-vous dans l'espace « Ma peur » et prenez conscience de la manière dont celle-ci se manifeste au travers de vos paroles, actes, pensées, émotions et regards.

4. Faites un pas en avant et regardez quelle est l'utilité de votre peur, ses avantages.

5. Quand vous êtes prêt, d'un pas vers la gauche, en arrière, découvrez comment votre peur apparaît en vous. Quelles sont les émotions qui viennent lui donner vie ?

6. Lorsque c'est fait, déplacez-vous d'un pas vers la droite, en arrière, et explorez quels sont les résultats négatifs de cette peur.

7. Allez maintenant découvrir quelles sont les expériences à l'origine de cette peur, toutes les situations et les conclusions que vous avez pu en retirer.

8. Quand ce sera terminé, vous retournerez la feuille et chercherez quelles sont les situations que vous avez vécues et qui vous prouvent que cette peur n'est pas vraie à 100 %.

9. En gardant présent à l'esprit tout ce que vous avez découvert précédemment, faites un pas en avant, vers la gauche, retournez la feuille et explorez quelles nouvelles idées peuvent se former à partir des situations contredisant votre peur.

10. Alors, vous pouvez revisiter les émotions qui peuvent soutenir et fortifier vos nouvelles idées et certitudes en faisant un pas en arrière, vers la gauche.

11. Pour finir, allez en bas, à droite, retournez la feuille et prenez un moment pour visualiser les conséquences positives de votre nouveau regard. Quelles sont les autres possibilités qui s'offrent à vous ?

Après avoir effectué cet exercice d'exploration, dans les jours qui suivent, je vous suggère de surveiller votre peur, et chaque fois que celle-ci pointera à nouveau le bout de son nez, décidez en toute conscience de la manière dont vous voulez envisager la situation. Cherchez à exprimer vos nouvelles idées. Consolidez ces dernières en favorisant les moments qui suscitent en vous les émotions qui les favorisent et qui sont énoncées au dixième point.

Exemple de Vanessa

Vanessa vient me consulter pour des raisons d'anxiété aiguë, me dit-elle, au point qu'elle pense être un cas psychiatrique et se sent devenir folle. Fin quarantaine, mère de deux enfants, en couple, elle a développé une grande vigilance vis-à-vis de ses fils qui souffrent d'allergies alimentaires depuis leurs premières années.

À l'époque, l'origine de leurs symptômes était méconnue, ce qui a conduit Vanessa à développer l'habitude de demeurer en état d'alerte quotidien, prête à réagir au moindre signe.

Les enfants de Vanessa, maintenant devenus des adultes autonomes, rendent visite occasionnellement à leur mère. Malgré leur âge, elle continue à s'inquiéter et se trouve prise dans un engrenage dont elle a conscience, mais elle ne parvient pas à s'en extirper. Chaque fois que ses fils partagent un repas avec elle, Vanessa est à la fois contente de voir ses enfants, mais tellement angoissée en les voyant manger qu'elle ne peut apprécier leur présence et en vient à souhaiter le moment où ils vont partir, et avec eux, son angoisse. La culpabilité l'habite ensuite, l'amenant à penser qu'elle est une mauvaise mère.

Elle est tellement devenue experte dans sa capacité à veiller au bien des autres que cela s'étend à son conjoint et à son entourage, au point qu'elle ne supporte pas l'idée qu'un de ses proches puisse souffrir.

Je lui propose donc d'explorer sa peur en entrant dans l'espace qui lui correspond.

Vanessa : « C'est comme une "bébête" qui est là, à côté de moi, et qui m'assaille constamment lorsque je suis en présence des gens que j'aime, me faisant envisager le pire à chacun de leurs faits et gestes. »

THÉRAPEUTE : « Maintenant que tu as vu de quoi a l'air ta peur, tu peux la laisser là et quand tu seras prête, fais un pas en avant pour découvrir en quoi la "bébête" est utile pour toi. Quels sont les avantages à ce qu'elle fasse partie de ta vie ? »

Vanessa fait un pas.

VANESSA : « Hum ! j'ai beau chercher, elle ne me sert à rien du tout ! »

THÉRAPEUTE : « D'accord, peut-être t'a-t-elle été nécessaire il y a quelques années ? »

VANESSA : « Oh ! certainement. Elle m'a permis de sauver mes enfants à deux reprises et d'être une bonne mère. »

THÉRAPEUTE : « En effet, on peut dire que "bébête" t'a vraiment aidée à prendre soin d'eux par le passé et à réagir au moindre danger. Maintenant, elle n'est plus utile. »

VANESSA : « Oui, elle me nuit, je le sais, mais je n'arrive pas à m'en défaire, c'est plus fort que moi. »

THÉRAPEUTE : « Justement, allons voir ensemble, en faisant un pas vers la gauche, un peu en arrière. Oui, comme ça, afin de découvrir quelles sont les émotions qui nourrissent "bébête" et lui donnent vie. Prends un moment pour identifier en toi ce que tu ressens quand elle se manifeste. »

VANESSA : « Eh bien, je me sens impuissante, agitée, nerveuse, ma poitrine est comprimée et j'ai un nœud au ventre. J'entends "bébête" qui me parle et me dit, chaque fois que je vois mes fils mettre de la nourriture dans leur bouche, qu'ils peuvent en mourir. Je n'ose même pas préparer un nouveau plat. Je cuisine toujours la même chose pour être sûre qu'il n'arrivera rien. Ça m'évite d'être encore plus angoissée. »

THÉRAPEUTE : « Tu peux déjà reculer d'un pas vers ta droite et en profiter pour décrire – comme tu commences à le faire – la manière dont "bébête" conditionne tes actes, tes paroles, ta posture, ton regard sur ce que tu vis... »

VANESSA : « Je suis tellement obsédée par le fait qu'il peut se produire quelque chose que je ne parviens pas à me concentrer sur la conversation. Je dois souvent faire répéter mes fils. Cela me donne encore plus l'impression d'être folle et impuissante. Du coup, je ne tiens pas en place, me lève souvent pour détourner mon regard de mes enfants, mais en même temps, je les surveille de loin, car si jamais il leur arrive quelque chose, je veux être prête pour intervenir le plus vite possible. Tu sais, 911, c'est moi !

« Quand on discute, si je plaisante, j'en profite souvent pour glisser un message sur leurs allergies, m'assurer qu'ils font bien attention à ce qu'ils mangent, et ils en sont irrités depuis le temps que je les embête avec ça. Je n'arrive pas à profiter du repas ni de la présence de mes enfants. Je fais en sorte que le repas se déroule vite, car j'espère qu'ils vont bientôt partir pour me sentir soulagée, mais en même temps je m'en veux. Je culpabilise de penser à tout ça. »

THÉRAPEUTE : « Oui, je comprends. Au lieu de voir que tes enfants continuent à rester en vie après chaque bouchée, tu anticipes une situation qui ne se produit pas. Ton regard est plutôt orienté sur un futur hypothétique, conditionné à partir du passé, et cela t'empêche de savourer le moment présent. Allons voir, maintenant, en faisant un pas vers la droite, en avant, toutes les situations qui sont à l'origine de "bébête". »

VANESSA : « Il y en a deux... seulement. »

THÉRAPEUTE : « Juste deux événements ? »

VANESSA : « Oui, mais ils ont failli en mourir ! »

THÉRAPEUTE : « C'est significatif. D'autant plus qu'à l'époque, tu m'as dit que l'on ne savait pas vraiment ce qu'ils avaient. »

VANESSA : « Exact. » Elle reste silencieuse un moment.

THÉRAPEUTE (retournant la feuille sur le sol) : « Maintenant, je voudrais que tu prennes un moment pour regarder toutes les fois où tes enfants ont mangé et qu'ils sont restés en vie. Prends bien le temps de les imaginer et réalise comme tu as aussi de nombreuses preuves qu'ils peuvent rester en vie, n'est-ce pas ? »

VANESSA : « En fait, il y a seulement 5 % de risque qu'ils aient une crise d'allergie. »

THÉRAPEUTE : « Toi et tes enfants connaissez les causes de ce risque et 95 % de leur alimentation est saine pour eux. Maintenant, fais un pas en avant, vers la gauche. Laisse émerger en toi toutes les nouvelles idées et convictions que cette perspective suscite. »

VANESSA : « Je peux commencer à croire que mes enfants sont suffisamment grands et responsables pour éviter une allergie alimentaire. En plus, ils sont bien entourés et leurs amis sont au courant de leur problème. Il me vient aussi l'idée qu'ils savent comment agir. Je suis compétente, capable d'intervenir à temps s'il y a vraiment quoi que ce soit. En fait, je suis une bonne mère et ils peuvent très bien se débrouiller. Je sais tout ça, tu sais, mais on dirait que ça reste dans ma tête et qu'il faut que je le fasse descendre, que je le sente aussi. »

THÉRAPEUTE : « Justement, fais maintenant un pas vers ta gauche, en arrière, pour venir découvrir quels sentiments et émotions tu peux éprouver en pensant à toutes ces idées et convictions (que je renomme pour les renforcer). Que ressens-tu en faisant circuler de ta tête à ton cœur toutes tes nouvelles pensées ? »

VANESSA : « C'est vraiment plus agréable. Ma respiration est plus légère, ma poitrine est dégagée. Je sens du plaisir, de la joie, de l'humour spontané, sans messages entre les lignes, mes épaules sont plus détendues. D'ailleurs, je les sens plus basses déjà. J'ai confiance. Il n'y a plus de voix. “Bébête” ne parle plus, c'est calme. Je suis en paix. »

THÉRAPEUTE : « Très bien. Prends le temps de bien sentir cet état et installe-le profondément en toi, dans ton cœur et ton corps, toutes ces sensations de légèreté, de joie, d'humour, de calme. Remarque comme elles viennent fortifier tes idées et convictions, au fur et à mesure que tout ça circule entre ta tête et ton cœur... et dans tout ton corps. Puis, quand tu seras prête, déplace-toi d'un pas vers la droite, en arrière, pour aller voir ce que tout cela t'apporte dans les moments que tu partages avec tes enfants et ton conjoint. » (Je retourne la feuille sur le sol discrètement.)

VANESSA : « Oh ! je reste assise, je suis concentrée sur ce que me disent mes enfants et j'écoute la conversation. On rigole ensemble, je suis détendue. On mange quelque chose de nouveau. Mon visage est plus énergique, reposé, et ils le remarquent. On reste plus longtemps ensemble aussi. Et si jamais il doit arriver quelque chose, je sens que je saurai faire ce qu'il faut. J'ai confiance en eux, en moi et je me sens rassurée de savoir que s'ils souffrent, ils me le diront. »

THÉRAPEUTE : « Prends un bon moment pour visualiser tout ça. Remarque qu'en orientant ton regard sur le temps agréable que tu passes avec tes enfants, cela vient nourrir ta joie, la légèreté et ton calme mental. Plus tu crées ces moments-là, moins tu laisses de place à "bébête" et si tu veux vraiment qu'elle revienne, tu peux décider par exemple de le faire dans cinq ou dix minutes. D'ici là, profite juste du moment présent, d'une respiration plus dégagée. »

VANESSA : « C'est bien vrai ! Après tout, je sais que si quelque chose risque de se produire, "bébête" sera là, mais en attendant, je peux en profiter. J'ai le choix de vivre ces moments comme je le veux. »

THÉRAPEUTE : « Bravo, Vanessa ! Tu as fait ça comme une pro. Pour finir, je veux que tu refasses un tour complet, seule. Prends vraiment le temps de visualiser tes nouveaux comportements et ta nouvelle habitude de penser, d'agir et d'être, que tu veux adopter, en tenant compte de tout ce que tu viens de me dire. »

Vanessa refait un tour complet, seule, intégrant davantage les nouvelles possibilités qui s'offrent à elle et qu'elle s'engage à mettre en pratique d'ici la prochaine rencontre. Elle sait qu'elle a plus de choix et qu'il lui appartient d'assumer la qualité des moments qu'elle vit.

5. L'UTILITÉ DU DOUTE

Atteindre le doute du doute,
C'est le commencement de la certitude.
Léon Daudet

Trop souvent, le doute est un état mal perçu, suscitant un inconfort plus ou moins désagréable selon la manière dont il est vécu. Il semble même que pour certaines personnes, il faudrait toujours savoir précisément quoi faire, dire ou décider. Pourtant, dans un tel état de recherche de certitude, comment voulez-vous ne pas douter ? Et j'irais même jusqu'à demander : comment voulez-vous avoir du plaisir à douter ?

Du *plaisir*, oui, j'utilise ce mot volontairement. Cela vous surprend peut-être. Il est vrai que pour bon nombre de personnes angoissées, le doute est un ennemi redoutable que l'on cherche à fuir, à ignorer, car il est, à tort ou à raison, responsable d'un certain mal-être. Vous connaissez sûrement le proverbe suivant : « Il vaut mieux garder ses amis près de soi et ses ennemis encore plus près. » À votre avis, dans quel but ? Plus vous en savez sur votre ennemi, mieux c'est ! Alors, que savez-vous de vos doutes ?

La difficulté que bien des gens angoissés affrontent quant aux doutes est de les percevoir comme un état négatif. Ils croient que parce qu'ils ne comprennent pas quelque chose ou qu'ils ne sont pas sûrs d'atteindre leurs buts, cela signifie que quelque chose ne va pas en eux. Alors, ils se découragent, s'apitoient sur leur sort et se culpabilisent en s'arrosant de questions très utiles du style: « Pourquoi ne suis-je pas capable de comprendre? Pourquoi ceci? Pourquoi cela? » Loin de moi l'idée de juger ce genre de comportement, mais en ce qui me concerne, il ne m'est d'aucune utilité et je prends mes responsabilités autant que possible.

Si le doute m'assaille, c'est qu'il a un message positif à me communiquer et qu'il est important pour moi d'y consacrer du temps, de l'écouter et de le comprendre. Le doute appelle à une prise de conscience et invite à poser un regard nouveau sur une situation donnée pour l'évaluer de manière plus globale. En fait, il exige de prendre un temps d'arrêt et de reconsidérer ce qui doit l'être.

Les besoins de contrôle, d'anticipation et de performance risquent d'être tenaces, mais calmez-les en gardant présent à l'esprit que leur tour viendra, au moment opportun, mais, dans l'immédiat, ils nuisent à vouloir se manifester trop fréquemment et dans des contextes non appropriés. Il est même fort probable qu'en vous permettant de douter, vous puissiez, grâce à cet état d'ouverture mieux exercer votre pouvoir de décision et donner une nouvelle direction à vos actions.

Ma pratique professionnelle m'a permis de remarquer trois types de comportements. Il y a les gens qui fuient leurs doutes, ceux qui tentent de leur faire face et ceux qui y succombent.

Les premiers trouvent de nombreuses manières, toutes plus habiles les unes que les autres, pour ignorer, fuir, déformer ce qu'ils vivent et se mentir, mais le doute demeure présent, plus sournois, jour après jour.

Les deuxièmes cherchent tant bien que mal une manière d'apprivoiser le doute et de clarifier ce qui est confus. C'est de cette clarification que jaillissent très souvent des améliorations dans la vie.

Les troisièmes sont paralysés par le doute et tournent souvent en rond. Les premiers peuvent facilement, avec l'usure, entrer dans cette catégorie, car vient un temps où ils ne peuvent plus ignorer leurs doutes.

Quelle que soit votre manière d'appréhender vos doutes, j'imagine que déjà vous avez trouvé votre mode de fonctionnement. Cela dit, j'aimerais vous poser maintenant une question. Encore une autre, penserez-vous. Eh oui ! Lorsque vous doutez, est-il question d'un choix que vous avez à faire, d'une décision à prendre ?

Comme la plupart des gens, vous envisagez les solutions possibles, vous pesez le pour et le contre, puis vous choisissez l'option la plus satisfaisante.

Or, le doute a tendance à perdurer justement lorsqu'aucune des solutions qui s'offrent à vous n'est satisfaisante. Et si, en plus, vous avez le choix entre oui ou non et qu'aucun des deux ne vous inspire, c'est le serpent qui se mord la queue !

Honnêtement, je considère que je commence à avoir le choix lorsque j'ai au moins trois possibilités. Et vous ?

Du doute à la créativité

Une échappatoire au doute peut s'amorcer en créant d'abord de nouvelles options. Comme vu plus tôt, vous avez réellement le choix à partir de trois possibilités. Souvent, la troisième solution s'élabore en intégrant les éléments qui vous conviennent dans vos deux premières idées. Une synthèse finalement. D'autres fois, il se peut qu'aucune des pistes de solution que vous avez explorées jusqu'à maintenant ne soit satisfaisante et il vous faut alors inventer !

Vous pouvez imaginer que vous avez déjà trouvé le meilleur choix pour vous et les conséquences de celui-ci dans votre vie, ou bien vous pouvez aussi chercher autour de vous des informations qui vous aideront à créer le meilleur choix. Interrogez vos amis, des gens qui à vos yeux ont les qualités et les capacités que vous désirez développer.

Les enfants font cela naturellement durant leur jeune âge. C'est à la fois une façon d'apprendre, de communiquer en tentant de ressembler à autrui et de vous affirmer, en personnalisant ce que vous faites avec vos atouts personnels. Vous avez peur de ne pas y arriver ? Ne serait-ce pas plutôt la peur de vous tromper ?

Justement, vous méritez de vous offrir le droit à l'erreur. En fait, dites-lui merci ! Se tromper est un chemin inégalé vers la découverte. Il est important de vous permettre de vous tromper pour apprendre. Bien entendu, c'est en vous observant attentivement que vous pouvez prendre conscience des comportements qui n'ont pas produit les résultats souhaités et qui sont à modifier. Une fois que vous savez de quoi il retourne, recommencez, mais différemment. Si vous faites la même chose, vous obtiendrez un résultat identique !

L'idée est de définir une stratégie pour passer à l'action et de vérifier ensuite si chaque étape franchie vous propulse vers votre objectif.

Pour schématiser, cela pourrait ressembler à une série : action, observation des résultats, action, observation des résultats, etc.

En appliquant un mode de fonctionnement comme celui-ci, ou mieux encore, que vous arrangez à votre convenance, pour parvenir à un état de mieux-être, pensez aussi à observer vos émotions. Elles seules seront en mesure de vous indiquer si vous retirez, ou non, des bénéfices.

Si c'est le cas, poursuivez votre stratégie. En revanche, si les comportements que vous avez eus ne modifient pas votre état émotionnel, c'est que vous éprouvez peut-être une difficulté. Laquelle ? Observez ce qui bloque pour découvrir le plus précisément possible de quoi il retourne, seul ou avec l'aide d'une autre personne.

Une fois la difficulté identifiée, il vous reste à définir ce dont vous avez besoin pour la dépasser. Est-ce d'améliorer votre confiance ? De mettre un terme à une relation qui vous parasite ?

De recevoir l'aide d'un spécialiste ? De prendre plus de temps ? Du repos ?

Vous avez trouvé ce dont vous avez besoin ? À vous de rectifier le tir ! Réglez la difficulté et reprenez votre stratégie de l'action, de l'observation, etc.

Quelle que soit votre stratégie, la situation stressante que vous vivez ou ce qu'elle exige de vous, gardez à l'esprit que vous avez le choix d'adopter une attitude de culpabilité à l'égard de vous-même ou d'être responsable. Il vous appartient de définir précisément vos limites.

J'entends par là de savoir pendant combien de temps vous êtes capable de fonctionner sous pression et les conséquences auxquelles vous vous exposez si vous les dépassez. Avez-vous tendance à perdre l'appétit ? À mal dormir ? À tomber malade ? À avoir les nerfs à fleur de peau ?

C'est de cela précisément que je vous parle en attirant votre attention sur la responsabilité que vous avez au travers des conséquences de vos choix.

Visualisation

Voici quelques étapes de la visualisation :

1. Visualisez votre situation et ce qui vous angoisse.
2. Précisez quel est votre objectif par rapport à la situation et comment vous serez quand vous l'aurez atteint.
3. Quelles sont vos forces, quels sont vos atouts et de quoi êtes-vous capable pour passer de votre situation actuelle à la situation désirée ?
4. Qu'est-ce que vous faites (étape « action » de votre stratégie) ?
5. Vérifiez votre ressenti (étape « observation » de votre stratégie).

6. Vos sentiments sont plus agréables, vous retournez au quatrième point, sinon passez au septième point.
7. Trouvez votre difficulté. Qu'est-ce qui bloque ?
8. Évaluez tout ce qui peut vous être utile et dont vous avez besoin pour résoudre votre ou vos difficultés. Plus de confiance ? D'argent ? Un *coach* ?
9. Vous revenez au quatrième point (étape « action » de votre stratégie) afin de visualiser ce que vous faites pour résoudre ce qui coince.
10. Vous validez en écoutant vos émotions, et ainsi de suite, jusqu'à ce que vous arriviez à votre objectif.

Bien entendu, il est tout à fait permis de permuter l'ordre dans lequel vous utiliserez cette stratégie. En fait, pour qu'elle soit vraiment utile, il est de votre responsabilité de jouer avec les différentes positions et de trouver votre propre recette.

EXEMPLE DE FRANÇOISE

Françoise vient me rencontrer, car elle a eu une crise d'angoisse dernièrement et se sent incapable de se présenter à son examen de comptabilité.

À 25 ans, elle vit depuis quelques semaines une période exigeante qui lui laisse peu de temps, dit-elle. Ses cours sont exigeants et ses révisions d'examen sont volumineuses. Elle doit parallèlement assumer les tâches ménagères, s'occuper de sa fille, la conduire à l'école, faire avec elle ses devoirs et, la cerise sur le gâteau, son conjoint vient d'attraper la gastroentérite. C'est la goutte qui fait déborder le vase. L'angoisse apparaît à la poitrine, elle se sent étouffer et perd ses moyens. Son esprit est agité, elle pense qu'elle a peut-être contracté la gastroentérite, qu'il faut qu'elle s'occupe de son conjoint, et le film commence dans sa tête… Je demande alors à Françoise de visualiser comment elle voudrait traverser cette période de manière à ce que ce soit plus confortable.

La première idée qui lui vient en tête est de ne pas chercher à tout affronter en même temps, mais d'y aller une chose à la fois et de rester bien calme. Elle se voit commencer par le plus urgent, tout en conservant un peu de temps pour elle.

Je lui demande alors de retourner dans sa situation de départ. Dès que Françoise la revit, je lui propose de me partager ce qu'elle ressent. Une boule à la poitrine, des mains qui tremblent, une agitation mentale intense, de la difficulté à se concentrer, c'est sa réponse. J'invite alors Françoise à se demander ce qu'elle fait dans cet état et elle me répond : « Pas grand-chose d'efficace, je cours sans arrêt, je suis dispersée et je ne fais pas les choses correctement, je rate le repas, etc. »

Il est évident que ses émotions la submergent rapidement et qu'elle perd ses moyens. La situation prend le dessus.

« Françoise, je voudrais maintenant que tu me dises quels sont tes outils, tes forces, tes points forts qui seraient utiles pour toi afin de vivre cette situation autrement, plus confortablement. »

Françoise réfléchit un moment : « J'ai besoin de prendre du temps pour moi, de lire, de me changer les idées, de prendre un bain. »

J'en profite pour l'amener à donner des détails : « Quoi d'autre encore ?

– Eh bien, je suis organisée, je suis capable de remettre à demain ce que je n'ai pas pu faire le jour même, je rigole de ce qui arrive ou de ce que je fais d'incorrect au lieu de m'énerver.

– Oui, excellent, Françoise. Tout en exprimant tes forces, tu as commencé à me dire les gestes que tu fais, mais quel serait le premier ?

– Eh bien, je prends une heure à moi pour décompresser.

– Que ressens-tu après avoir fait ça ?

– L'angoisse est moins là, c'est plus léger dans ma poitrine. »

Je poursuis alors : « Très bien ! Cela te permet de savoir que ça marche. Que fais-tu ensuite ? »

Françoise continue : « Je me fais une liste des priorités et du temps que je vais consacrer à chaque chose. Même si je n'ai pas fini, au lieu de continuer et de m'acharner, je laisse ça de côté et je continue à faire ce que j'avais décidé. »

Je propose à nouveau à Françoise d'entrer en contact avec ses émotions pour vérifier si elle en retire un mieux-être : « J'ai le sentiment d'avancer et de garder le contrôle. Je me sens plus efficace et c'est plus agréable, mais il reste encore quelque chose et je ne sais pas trop ce que c'est.

– D'accord. Alors, il y a peut-être un truc qui bloque. Allons voir quelle est cette difficulté, ce dont elle a l'air. »

Françoise ferme les yeux et prend un temps de réflexion, écoutant sûrement ce qui se passe en elle : « Eh bien, j'ai peur. Peur d'avoir une crise d'angoisse lors de mon examen et de devoir tout arrêter là et sortir de la salle.

– D'accord, Françoise. Alors, voyons ce que tu peux faire avec cette peur maintenant et commence par chercher ce qui pourrait t'aider à faire face à cette peur.

– Je ne comprends pas vraiment à quoi elle sert et j'ignore quoi faire avec elle, me répond-elle.

– Et si tu vérifies, jusqu'à quel point est-ce possible que tu fasses une crise durant ton examen ? »

Françoise réfléchit et commence à se poser des questions à haute voix, tout en y répondant : « Ai-je bien révisé ? Oui. Est-ce que je suis suffisamment en forme ? Il faut que je dorme bien et je pourrais prendre des vitamines aussi. Bien manger, c'est important pour moi. J'ai besoin d'avoir l'esprit tranquille et de savoir que mon conjoint est correct afin de me concentrer.

– Excellent, Françoise. Alors, maintenant, imagine que tu fais chacune de ces choses et vérifie chaque fois ce qui se passe sur le plan de tes émotions.

– C'est bien comme ça. Je me sens confiante et plus prête. Il reste un peu de stress, mais je trouve ça normal étant donné que je passe un test qui est important pour moi.

– Absolument, Françoise. Il peut y avoir un bon stress aussi qui nous est utile et qui nous aide à réussir le moment voulu. Et, dis-moi, d'après toi, quelle est la limite que tu as dans ce genre de période ?

– En fait, cela fait plus d'un mois que je cours tout le temps et que je m'arrête à peine. Je ne devrais pas maintenir ce rythme plus de deux semaines, car après, je suis dépassée par les événements. Si je continue de dépasser mes limites, je vais devoir en payer le prix et, finalement, je risque surtout d'échouer à mon examen. »

6. CACHE-CACHE AVEC LE PRÉSENT

Le présent n'est pas un passé en puissance.
Il est le moment du choix et de l'action.
Simone de Beauvoir

Quelles que soient vos peurs et les sources de vos angoisses, vous pouvez remarquer en les observant qu'elles sont toujours reliées soit au passé, soit au futur, mais jamais au présent.

La notion du temps est donc un élément majeur donnant vie à ce qui vous inhibe. L'être humain, contrairement aux plantes et aux minéraux, a cette capacité merveilleuse d'avoir conscience du temps qui passe. Mais a-t-il conscience du moment présent ?

Peut-il ou sait-il comment s'incarner et apprécier pleinement le présent, ici et maintenant ?

La porte du présent

L'esprit humain, le vôtre comme le mien, est d'une indiscipline étonnante. Comme nous vivons dans un monde accordant une grande importance aux biens matériels, nous sommes constamment stimulés. Nos sens sont sollicités par un nombre incroyable de réalisations humaines, de magasins, de restaurants, de boutiques de vêtements, de bruits.

Cette orientation de la conscience humaine vers l'extérieur de soi par une forte excitation des sens engendre deux types de sensations : agréables ou désagréables. L'attachement aux sensations agréables et l'aversion pour celles qui sont désagréables éveillent en nous le désir de vouloir revivre ou non tel état, telle émotion. Or, le passé n'est plus et le futur n'existe pas encore. Seul l'instant présent existe.

L'anxiété est souvent produite par les peurs qui sont elles-mêmes construites à partir du conditionnement de l'esprit à revivre des souvenirs, à chercher à reproduire ces souvenirs dans le futur, à inventer des scénarios souvent utopistes de ce qui vous attend dans le futur. Bref, à savourer encore et encore des sensations agréables. L'esprit est drogué aux sensations agréables ! Pourtant, est-ce réaliste de nourrir l'objectif de vivre continuellement dans le plaisir ? C'est souvent par cette porte que l'illusion entre.

Nous visons plusieurs illusions : celle de ne pas vieillir en se colorant les cheveux, en utilisant la chirurgie esthétique ou en imaginant que les ressources énergétiques sont inépuisables. L'illusion est créée par votre esprit en vous faisant croire que vous étoufferez obligatoirement la prochaine fois que vous mangerez au restaurant, que vous aurez une crise de panique en conduisant demain matin pour aller au travail, que vous mourrez étouffé en prenant l'ascenseur si celui-ci tombe en panne.

L'esprit nous leurre et nous fait croire que la réalité est immuable.

En fait, tout change, à chaque instant. Seulement, nos sens sont tellement occupés par tout ce qui nous entoure que nous avons à peine conscience de la manière avec laquelle l'esprit fonctionne, de son conditionnement aux sensations qui se produisent sur le corps.

Vous le savez peut-être, comme un concept intellectuel que vous avez lu ou dont vous avez discuté, mais en avez-vous fait l'expérience par vos propres sensations ?

Quatre clés pour entrer dans le moment présent

Pour vivre davantage dans le moment présent, il n'y a pas de recettes miracles, faciles et prêtes en cinq minutes au four à micro-ondes !

Ne vous découragez pas pour autant, car il existe certains outils. Un outil que je sais très efficace, pour l'avoir moi-même expérimenté et suggéré à des clients, consiste à travailler sur le plan de la conscience.

Tout le monde peut s'en servir et il vous procura sans aucun doute des résultats, à partir du moment où vous prenez l'engagement de le tester en développant quatre qualités : patience, persévérance, régularité et compassion. Explorons un peu ces quelques qualités, qui constituent vos clés pour ouvrir la porte du présent, afin que vous compreniez bien leur importance déterminante.

La patience est la qualité première de tout étudiant qui apprend une nouvelle discipline. Ce qui compte, ce n'est pas de vivre dès le début des miracles et d'avoir pour objectif d'être un expert. Vous avez besoin d'y aller à votre rythme et d'accepter qu'un certain temps soit nécessaire pour vivre davantage dans le moment présent. Sans patience, point d'observation possible. Observer prend du temps. La science d'ailleurs utilise cette capacité depuis ses débuts pour dégager des principes, des lois naturelles et vérifier ses théories. Le jardinier aussi apprend à observer la nature, la santé des légumes et des plantes pour veiller à leur épanouissement.

La persévérance est utile pour soutenir la patience et pour continuer à fournir des efforts dans cette nouvelle discipline que vous apprenez, patiemment. Sans persévérance, il ne peut y avoir de maîtrise, d'endurance. Tel un sportif qui pratique avec persévérance sa discipline, il parfait sa maîtrise de lui-même, s'améliore et développe ses habiletés, il en est de même pour vous. C'est en persévérant que vous parviendrez à calmer votre esprit.

La régularité est nécessaire à toute personne qui veut améliorer ses habiletés et devenir de plus en plus douée dans un domaine, un art, quel qu'il soit. Aussi, pour vraiment ouvrir la porte du présent, vous avez tout à gagner à pratiquer quotidiennement, durant un certain temps que vous pouvez augmenter au fur et à mesure. Pour commencer, dix ou quinze minutes sont un bon début. Une heure est l'idéal, selon mon expérience. Patience, persévérance et régularité sont les trois alliées pour installer une nouvelle habitude, un nouveau comportement, durablement.

La compassion favorise votre persévérance. Elle vous évite d'être découragé dès le premier jour, de vous juger sévèrement et, surtout, elle permet à votre esprit de demeurer plus calme, ce qui améliorera votre capacité à vivre le moment présent. Si votre esprit est agité, plein de haine, de colère, vous parviendrez très difficilement à stopper le mouvement de vos pensées et de vos idées vers le passé et le futur. Alors, si vous êtes prêt à utiliser toutes ces clés, ouvrez la porte !

Franchir la porte du moment présent

Pour faire l'expérience du moment présent, le travail consiste à déprogrammer le conditionnement de votre esprit, qui est habitué à réagir aux deux types de sensations dont nous avons parlé plus tôt : agréables ou désagréables. Pour sortir de ce mode de fonctionnement, vous apprendrez à utiliser votre conscience et commencerez par observer.

En prenant soin de ne pas être dérangé, installez-vous confortablement dans un endroit tranquille, le plus calme possible. Fermez vos yeux et, à partir de maintenant, portez toute votre attention sur votre respiration. Concentrez-vous uniquement sur votre respiration et aiguisez votre conscience du souffle qui entre et du souffle qui sort de vos narines.

Observez ce mouvement entrant et sortant, naturellement, tel qu'il est. Au début, si vous ne parvenez pas à percevoir votre souffle, vous pouvez prendre, volontairement, quelques respirations plus fortes, afin de vous aider, puis reprenez une respiration normale, naturelle.

Il y a de fortes chances que votre esprit s'échappe rapidement, très rapidement, et qu'il commence à se promener dans le futur ou à replonger dans le passé.

Armé de vos quatre clés, ramenez votre esprit sur votre souffle et reprenez conscience de celui-ci, calmement.

Si vous gardez les yeux ouverts, votre esprit sera automatiquement dirigé vers l'extérieur et votre regard se promènera sur les objets qui vous entourent, attirant ainsi votre attention ailleurs. Évitez cette distraction en fermant les yeux, cela vous aidera dans votre pratique.

Vous découvrirez vite que ce petit exercice, qui a l'air de rien, est finalement difficile.

Avec de la pratique, vous développerez votre maîtrise des quatre clés et renforcerez votre facilité à les utiliser. Cela accroîtra votre capacité à discipliner votre esprit et à diminuer son conditionnement initial. Ce faisant, vous expérimenterez le moment présent, le simple fait d'être là, présent et conscient de chacune de vos inspirations et expirations.

Après quelques semaines d'utilisation des quatre clés et d'observation de votre respiration, votre conscience sera plus éveillée et vous serez en mesure d'approfondir votre méditation. Vous pourrez alors découvrir certaines particularités de votre souffle et observer des sensations de plus en plus précises.

Remarquez aussi que votre respiration est différente et qu'elle perd son flux naturel dès que votre esprit est en colère ou qu'il a peur. Elle devient peut-être plus superficielle ou bloquée.

Lorsque vous êtes en colère, dans un état de peur ou d'anxiété, profitez-en pour diriger votre conscience sur vos narines. Observez votre respiration. Pour vous aider, prenez volontairement quelques respirations plus profondes, plus fortes afin de commencer à sentir votre souffle. Ensuite, permettez-vous de respirer normalement et portez toute votre attention sur votre respiration.

Observez ce qui se produit à chaque instant, sans vous soucier du reste, pendant quelques minutes. Cela vous aidera à diminuer l'intensité de vos émotions désagréables et à ne pas réagir sous le coup du conditionnement de l'esprit.

Cette technique constitue en fait la première forme de méditation d'un processus plus vaste, en trois étapes, connu sous le nom de méditation Vipassana, que j'ai eu l'occasion de pratiquer durant un stage de dix jours.

La méditation Vipassana

La méditation Vipassana représente une tradition qui remonte à Gautama, le Bouddha, il y a de cela environ vingt-cinq siècles. Elle est transmise uniquement par voie orale, de pratiquant à pratiquant.

Cet enseignement, non sectaire, permet de découvrir le chemin de la libération appelé Dhamma, qui est universel. Cette pratique a pour but d'apporter des changements concrets et durables dans la vie quotidienne qui se multiplieront si vous continuez à pratiquer cette technique quotidiennement.

Il est bel et bien question ici de se libérer de ses souffrances et d'acquérir une paix, un calme intérieur de manière à ne plus constamment être en réaction vis-à-vis des imprévus de la vie et particulièrement lors de situations désagréables. Durant cette formation, trois formes de méditation sont enseignées et elles nécessitent toutes le plus grand silence possible, verbal, visuel et physique, que l'on nomme « noble silence ». Vous êtes donc avec vous-même durant tout ce temps, sauf lors des périodes de questions à l'enseignant.

Cette technique ne peut s'enseigner par écrit. Il s'agit d'une expérience à vivre. Voici donc un aperçu de ses principes.

La méditation Anapana

Les trois premiers jours sont consacrés à calmer l'agitation mentale. On réalise à quel point l'esprit est continuellement en mouvement et qu'il est difficile de l'apaiser. Tantôt dans le passé à ressasser de vieux souvenirs, tantôt à se projeter dans le futur et créer des scénarios plus ou moins agréables, l'esprit est très indiscipliné. La méditation Anapana permet de plus en plus d'apaiser cette excitation tout en commençant, petit à petit, à prendre pleinement conscience du moment présent, d'en faire l'expérience directe.

Au début, les pensées sont nombreuses et agitées. Après plusieurs heures de méditation, l'esprit finit par devenir de plus en plus calme, conscient de l'ici et maintenant, de plus en plus longtemps.

On finit même par prendre conscience plus rapidement des moments où « la machine » repart et à la stopper pour la ramener dans l'instant présent. Le résultat que j'en ai retiré est vraiment intéressant : un plus grand calme intérieur procurant une conscience plus éveillée de chaque moment qui s'écoule et des sensations éprouvées. Vient alors la deuxième forme de méditation.

La méditation Vipassana

Du quatrième au huitième jour, maintenant que l'esprit est apaisé, on apprend à utiliser ce plus grand état de conscience pour observer les sensations qui se produisent sur son corps, selon une technique bien précise et clairement expliquée. Le but ici est multiple.

D'abord, on développe sa capacité à observer objectivement ce qui se produit à chaque instant. Ce faisant, on expérimente par soi-même l'impermanence de la vie. C'est-à-dire que les sensations dont on a conscience, qu'elles soient agréables ou désagréables, ont toute la même caractéristique : elles apparaissent puis disparaissent. C'est ce que l'on appelle en pali l'*Anicca*, la « loi universelle que toute chose est en mouvement perpétuel ».

Certes, vous vous direz, tout comme je l'ai pensé durant le stage à certains moments : « On sait déjà tout ça ! » Pourtant, en faisant directement l'expérience de ce phénomène, par sa propre conscience et à partir de l'observation de ses propres sensations corporelles, je ne saurais comment vous l'expliquer, mais cela fait une différence. Certainement parce que je l'ai vécu, que je l'ai observé avec ma conscience, la réalité me semble différente, moins tangible, j'oserai dire moins concrète. Et je n'ai rien fumé ou bu !

Une fois ce constat établi, une question surgit : « À quoi bon réagir continuellement à ces sensations puisqu'elles ne sont pas aussi concrètes qu'on le croit ? »

Plus on observe les sensations qui se produisent sur son corps, sans réagir, avec un esprit équanime, plus celles-ci se précisent et deviennent subtiles. On réalise alors vraiment que le mental est conditionné à réagir aux sensations. En vérité, celles-ci ne sont que des changements qui se produisent à chaque instant et que l'on nomme *sankhara*. Cette activité continuelle de réactions au mouvement perpétuel ne fait que produire, chaque fois que l'on y réagit, des causes et des effets du conditionnement.

C'est en regardant en soi, en utilisant sa conscience pour observer, objectivement, les *sankharas* qui se produisent chaque seconde sur son propre corps et ceci, sans désirer quoi que ce soit, sans bouger, que l'on commence à se libérer des *sankharas*. On découvre alors son propre conditionnement. Une sagesse grandit de cette prise de conscience qui favorise une paix intérieure croissante.

À partir de cet instant, et à l'aide d'une pratique quotidienne, on peut travailler à maintenir un esprit calme tout en développant sa sagesse, par l'observation des *sankharas*. On amorce ainsi un processus de purification en cessant de réagir aux sensations que l'on observe sur son corps et qui viennent du conditionnement de notre esprit.

Le silence est un allié, car en évitant toute distraction, on peut vraiment ainsi se brancher sur soi et tourner son regard vers l'intérieur.

En revanche, apprendre à discipliner son esprit pour observer objectivement sans réagir aux sensations ni s'y attacher est un apprentissage de tous les jours qui n'est pas toujours aisé.

Après un tel travail, la troisième forme de méditation représentera un baume.

La méditation Mettapana

Elle s'accomplit en quelques minutes et consiste à se détendre physiquement et mentalement pour ensuite remplir son esprit et son corps de pensées et de sentiments de bienveillance, d'amour envers tous les êtres. On se recueille et on exprime des souhaits de compassion et de bonheur pour autrui afin que tous puissent connaître la paix intérieure et se libérer de leurs souffrances.

Personnellement, j'ai trouvé cette expérience très enrichissante, même si certains moments ont été plus difficiles. J'en conserve une plus grande conscience de mes pensées, de mes idées et une plus grande capacité à vivre le moment présent, en demeurant dans un état d'esprit plus calme, plus serein.

J'ai aussi acquis une meilleure observation des émotions et des sentiments qui peuvent surgir en moi lors des imprévus que la vie me réserve. Je réagis différemment de plus en plus souvent dans des situations qui ont normalement tendance à me faire sortir de mes gonds !

Parfois, je continue malgré tout à entrer en réaction, mais moins longtemps. Un peu comme si j'accordais une importance moindre aux sensations désagréables du fait que j'ai conscience de les alimenter et de les maintenir présentes dans ma vie, en laissant mon esprit divaguer et nourrir des scénarios. La qualité de ma relation avec moi-même s'améliore aussi, de même que celle avec autrui.

Bien entendu, une pratique régulière de la méditation me permet de conserver les bénéfices que j'en retire.

À ceux qui désirent suivre ce stage, je suggère simplement d'y aller en forme et non dans un état de détresse ou de fragilité afin de pouvoir vivre l'expérience jusqu'au bout.

Considérez cette démarche comme un engagement que vous prenez avec vous-même, pendant laquelle vous ferez un voyage et partirez à la découverte de vous, en vous orientant vers l'intérieur.

Quoi qu'il en soit, rien ne vous empêche de faire l'exercice ci-dessus et de découvrir par vous-même les bénéfices que vous pouvez en retirer.

En apaisant votre esprit et en vivant dans l'instant présent, vos peurs et vos angoisses seront moins fréquentes et vivront moins longtemps. Elles vont faiblir du fait que le passé et le futur les alimenteront moins.

Il est aussi possible de transformer de nombreuses activités en moments de méditation. Vous promener, faire la vaisselle, vous laver, jardiner sont autant d'occasions de diriger votre esprit uniquement sur ce que vous êtes en train de faire et non sur les pensées qui vous habitent, sur les comptes à payer, sur ce qui s'est produit hier ou sur ce qui se produira durant votre journée du lendemain. Méditer au quotidien signifie simplement que vous observez avec toute la conscience possible ce que vous êtes en train de faire au moment où vous le faites et les sensations qui en découlent, agréables ou désagréables. Vous avez conscience du moindre de vos gestes et de ce que vous éprouvez en les faisant, sans les juger, en les acceptant pour ce qu'ils sont, rien de plus, rien de moins.

La méditation, contrairement à bien des idées préconçues, n'est pas un moyen d'atteindre un état idyllique ou le nirvana en tout temps. La méditation Vipassana, comme je la comprends, est un outil offrant la possibilité d'appréhender son existence pour ce qu'elle est dans sa totalité, avec ses facilités et ses difficultés, tout en demeurant calme et serein, dans un flot de changements perpétuels.

7. L'ANXIÉTÉ : PROBLÈME OU SOLUTION AVORTÉE ?

Qui craint de souffrir souffre déjà de ce qu'il craint.
Montaigne

Lorsque vous êtes aux prises avec une situation délicate, vous avez une façon particulière d'y faire face. Certains vont amorcer une réflexion, d'autres vont passer à l'action directement, il se peut que vous préfériez laisser les choses aller et voir si elles se règlent seules. Quoi qu'il en soit, ce que vous faites vous semble être le meilleur choix au moment où vous en prenez l'engagement. Le « problème » commence si votre choix n'apporte pas les résultats désirés et que vous persévérez dans votre décision. C'est alors que la solution de votre choix, la stratégie que vous avez utilisée devient un élément qui contribue au maintien de la situation à régler.

Et hop ! au lieu d'arranger les choses, vous nourrissez le problème et vous l'aidez à s'installer dans votre vie en continuant à agir de la même manière.

La persévérance a du bon en elle-même, la question est plutôt de développer une certaine flexibilité et de prendre une nouvelle décision, d'adopter un autre comportement, de définir une nouvelle stratégie. Or, il est facile de rester coincé dans des habitudes inefficaces ou qui le deviennent en se figeant dans le temps, sans tenir compte de l'évolution ou par difficulté à suivre une cadence effrénée.

En fait, plutôt que de parler de problèmes, on pourrait dire qu'il y a des défis à relever (ou pas), des occasions de se découvrir, d'apprendre et d'avancer dans la vie.

Si ce flux d'évolution est bloqué, refoulé, la vie perd de son sens, car il y a comme une déconnexion de soi, de ses rêves, de ses vérités.

Le corps s'exprime aussi et tente d'envoyer des messages à l'esprit, au conscient. Discrètement d'abord, mais si ceux-ci ne sont pas entendus, ils seront alors criants, intenses ou douloureux.

Les peurs et l'anxiété entravent souvent ce processus naturel d'évolution. Vous avez sûrement déjà entendu au moins une fois cette petite voix qui vous parle. Celle qui trouve des excuses afin de garder valides des lois personnelles que vous avez acquises, parfois chèrement, de vos expériences de vie.

Vous avez très bien pu aussi les recevoir des autres, avec ou sans votre consentement.

Ces lois régissent votre univers et vous y confinent parfois, en vous empêchant d'agir, en conditionnant vos résultats ou en vous dictant vos actes, consciemment ou non.

Les modifier, les délaisser au détriment de nouvelles croyances revient à regarder d'une façon nouvelle, neuve et de vous offrir le temps de développer cette nouvelle perception afin de valider si elle est plus efficace. Comment faire ?

Chacun ne peut que trouver ses propres solutions. Celles venant des autres ne sont souvent qu'éphémères, car elles sont valables pour eux ; or, nous sommes tous différents.

Dans tous les cas, je vous invite à explorer cette anxiété qui vous habite, à l'aide d'une visualisation pour mieux aller à sa rencontre. Bien entendu, il vous appartient d'adapter ce qui suit à votre convenance et de créer le décor qui vous inspire le plus. Il n'y a pas d'erreurs, faites place à l'imaginaire !

Définir un nouveau contrat avec son anxiété

Commencez par vous détendre et prenez quelques bonnes respirations pour entrer en contact avec vous-même.

Imaginez que vous vous dirigez vers la demeure de l'anxiété, tout seul. Mettez tous vos sens à contribution pour accéder à cette maison où réside l'anxiété.

Prenez le temps d'ouvrir la porte, d'entrer et de commencer votre exploration.

À l'intérieur de cette maison se trouvent de nombreuses pièces que vous visiterez les unes après les autres.

Si certaines sont trop sombres pour bien y voir, allumez la lumière et s'il n'y a pas d'électricité, allumez une bougie ou une lampe que vous avez pris soin d'emporter.

À la lumière de votre courage, cherchez la pièce dans laquelle se trouve l'anxiété. Peut-être est-elle au sous-sol, dans la cave, dans une chambre, à la salle de bain, etc.

Lorsque vous l'avez enfin trouvée, prenez un moment pour l'observer, découvrir à quoi elle ressemble.

Donnez-vous le temps de communiquer avec elle, et vice versa.

Présentez-vous, dites-lui votre nom, demandez-lui comment elle s'appelle, son âge, si elle va bien, etc. Adressez-vous à elle comme si vous cherchiez à faire connaissance avec un ou une inconnue.

Il se peut qu'elle soit méfiante et qu'elle prenne un certain temps avant de vous parler. Peut-être que son langage est différent du vôtre, que vous devez l'apprivoiser.

Si vous éprouvez de la difficulté à l'entendre et à la comprendre, vous pouvez lui offrir l'occasion de développer sa confiance en vous, en lui disant, par exemple, que vous êtes content d'avoir pu enfin la rencontrer et que vous reviendrez la voir demain. Alors, vous cessez la visualisation ici. Sinon, vous continuez à discuter avec elle.

Votre objectif est de découvrir ce qu'elle veut au juste et les raisons pour lesquelles elle est présente dans votre vie.

Même si vous êtes convaincu qu'elle vous veut du mal et qu'elle est juste là pour vous nuire, vérifiez votre idée et offrez-lui l'occasion de vous dire ce qu'il en est ! Peut-être est-elle juste maladroite dans sa manière de faire passer son message. À moins que ce soit vous qui éprouviez de la difficulté à la comprendre.

Lorsque vous savez quel est le rôle de l'anxiété dans votre vie, définissez un nouveau contrat avec elle.

Trouvez une entente satisfaisante pour vous deux en vue de respecter et de favoriser les intentions de l'anxiété (que vous nommez par son prénom dorénavant). Précisez des manières nouvelles et plus agréables pour communiquer avec elle afin qu'elle vous informe si vous manquez à votre engagement, ou vice versa. Proposez un signal en cas de non-respect de la nouvelle entente instaurée.

Lorsque tout est clair, signez tous les deux cette entente et remerciez-la de sa collaboration.

Sortez de la maison et revenez en douceur par le même chemin.

Maintenant qu'un contrat est conclu, il convient de le mettre en pratique pour en vérifier l'efficacité. Au début, il se peut que des erreurs soient commises et c'est normal. Elles constituent autant de mises au point pour parfaire et fortifier l'alliance créée. Cela dit, un petit réchauffement vous aidera.

Se dissocier de l'anxiété

Plus la peur est imbriquée en vous, dans votre corps, dans vos muscles, dans vos cellules, plus elle vit en vous. Vous dissocier de celle-ci vous aidera à manifester votre pouvoir et favorisera la réalisation des promesses inscrites dans le contrat défini ci-dessus. Que veut dire *se dissocier* ? C'est prendre du recul, s'éloigner pour mieux regarder. Trop souvent, lorsqu'une difficulté surgit, on entre dans toutes sortes d'émotions et le fait de vivre ces émotions nous empêche de voir la situation autrement. Notre regard est faussé par elles. Prendre du recul offre l'occasion d'envisager la situation sous un angle nouveau et de choisir un comportement, une attitude qui sera peu ou pas « motivée » sous le coup de la colère, de la peine, etc. Cela permet alors de mieux explorer des solutions et de trouver une issue plus positive au défi qui se présente à vous.

Voici une technique simple de dissociation qui vous permettra d'explorer vos émotions de façon détachée :

1. Asseyez-vous confortablement et évitez toute distraction. Fermez vos yeux.

2. Identifiez une situation problématique et ce qui la déclenche (objet, pensée, ascenseur, nourriture, personne).

3. Imaginez un écran de télévision ou de cinéma devant vous et placez la situation problématique sur cet écran. Vous êtes assis devant lui comme un spectateur.

4. Prenez quelques bonnes respirations, méditez un moment ou repensez à un souvenir agréable pour vous remplir des bonnes sensations que vous éprouvez en revivant cet agréable souvenir, ici et maintenant.

5. En restant branché à ces bonnes émotions, énoncez à haute voix ou mentalement le nouveau contrat puis regardez le film qui se déroule devant vous, là-bas, sur cet écran. Si vous vous sentez inconfortable, imaginez que vous éloignez la télévision de vous, ou l'inverse.

6. Soyez curieux de découvrir comment ce « vous » qui joue dans le film que vous êtes en train de regarder peut apprendre de cette situation. De quoi a-t-il besoin pour y faire face ? Quels sont ses outils ?

7. Regardez ce film autant de fois que nécessaire en incluant chaque fois les nouvelles découvertes, les nouveaux outils, les nouveaux comportements que vous avez mis à jour.

8. Faites cela jusqu'à ce que vous n'éprouviez plus de sentiment déplaisant en repensant à la situation problématique.

9. Pour terminer, projetez-vous dans une situation future semblable à celle que vous venez de visionner et visualisez comment cela se déroule et de quelle manière le contrat est respecté.

8. ÉCOUTER SES ANGOISSES OU SES INTUITIONS ?

L'intuition est une vue du cœur dans les ténèbres.
André Suarès

La force d'une personne anxieuse est d'appréhender l'existence principalement selon son mental. Certes, ses comportements sont prédéterminés par les émotions qui l'habitent, mais ceux-ci découlent du langage cérébral sur lequel elle porte son attention et qui est le plus souvent dépourvu de rationalisme. La personne anxieuse ayant tendance à accorder trop de crédit aux craintes qui lui traversent l'esprit oriente donc fréquemment sa concentration sur ses peurs et projette celles-ci sur les gens ou dans des situations comportant une grande part d'inconnu. Pourtant, l'être humain est également doté d'une sensibilité en fonction de sa réceptivité. Souvent, on parlera d'intuition. Comment expliquer ce dont il s'agit à quelqu'un l'ignorant ?

L'intuition est un mode de connaissance directement en lien avec les sens. Elle ne dépend donc pas du mental et ne relève pas de la raison. En d'autres termes, il s'agit d'une expérience vécue directement et conduisant à une connaissance dépourvue de réflexion. L'intuition n'est donc pas fonction d'une idée, mais plutôt d'une information obtenue de ce qui doit être fait. Cela apparaît comme une évidence, une certitude, une vérité. L'intuition est donc dépourvue d'idées. Elle ne se produit pas sur le plan cérébral, mais sur le plan corporel, par les sens.

D'ailleurs, si vous interrogez des gens autour de vous ayant vécu ce genre d'expériences, comme des médecins, des thérapeutes, des pompiers, vous apprendrez sûrement que cela ressemble un peu à ce qui suit : « Être au bon endroit, au bon moment, et avoir saisi cette occasion, ce moment, en fait. » Alors, comment accéder à ses intuitions ?

Aussi simple que la réponse puisse paraître, elle n'en demeure pas moins susceptible de se produire de manière accidentelle pour plusieurs et se résume ainsi : apprendre à s'écouter. Non pas sur le plan mental, mais sur le plan corporel. Un calme d'esprit et un vide sont donc nécessaires pour pouvoir faire directement l'expérience du langage intuitif qui nous vient, selon les courants psychologiques et philosophiques, de l'inconscient collectif ou de l'âme. Peut-être que tout cela est un peu ésotérique. Pourtant, n'avez-vous jamais vécu cela au moins une fois dans votre vie ? Peut-être par rapport à un nouveau logement, à un emploi, à une personne que vous avez rencontrée, à une vérification inhabituelle vous concernant. Les animaux vivent sans doute plus souvent que les humains ce type de sensation. N'avez-vous jamais entendu un voisin parler d'un animal de compagnie dont le comportement anormalement agité se manifestait au même moment que l'accident d'un membre de la famille ? De quoi s'agit-il si ce n'est d'une intuition ?

L'absence de confiance en ce type de perception vient bien entendu parasiter ce que vous pouvez percevoir, car une pensée émerge aussitôt dans votre esprit, venant ainsi brouiller la fréquence radio, un peu comme si vous captiez soudainement deux canaux distincts. Selon le choix que vous faites, l'espace d'un instant, vous décidez laquelle des deux vous écouterez.

L'intuition étant par définition dépourvue de «rationnel» peut souvent sembler un peu absurde, inhabituelle, et c'est sans doute là que réside sa pertinence dans la vie. De plus, son apparente simplicité amène le mental à ridiculiser cette perception qui lui semble trop infantile et dont l'absence de logique frustre le côté rationnel.

Apprendre à utiliser sa conscience pour diriger celle-ci non plus vers ses pensées, mais vers ses ressentis permet apparemment d'entrer plus facilement en communication avec cette autre dimension humaine que l'on attribue à l'hémisphère droit du cerveau.

Développer sa sensibilité favorise de toute évidence l'accès à cette manière d'appréhender la vie. Au lieu de projeter à l'extérieur de soi ce que l'on entend et voit en soi, l'intuition offre la possibilité de vivre sa vie en exprimant sa créativité par des comportements nouveaux, différents, originaux. Elle est donc un outil précieux lors de prises de décisions, dans de nouvelles situations faisant appel à la capacité d'adaptation, lors de changements que l'on souhaite apporter dans sa vie.

L'intuition nécessite de se fier à soi, de s'aimer, de s'ouvrir à la nouveauté et de croire ce qui vient de soi au-delà des apparences.

Elle est une alliée utile particulièrement là où la raison ne peut apporter de réponses à certaines questions existentielles.

Tel un muscle que nous entraînons régulièrement, nos intuitions gagneront en clarté et en fréquence si nous daignons leur accorder un espace honnête en nous, exempt de doute et de jugement, et que nous osons agir vers la direction qu'elles insufflent dans nos vies.

Prenons par exemple la théorie des signatures (enseignée par Paracelse au XVIe siècle dans son livre de médecine), chère aux premiers herboristes, qui avaient ainsi développé une connaissance intuitive des bienfaits des plantes médicinales. En s'inspirant de leurs formes pour connaître leurs actions sur l'organisme humain, uniquement par l'observation directe, les médecins de l'époque pouvaient soigner différentes pathologies en associant les formes et les couleurs des plantes aux organes humains. Par la suite, les progrès scientifiques et l'expérimentation ont permis de confirmer les connaissances de nos ancêtres. Ainsi, l'intérieur de la noix qui ressemble au cerveau humain lui serait bénéfique. La science a démontré que celle-ci est riche en sérotonine, un neurotransmetteur essentiel au bon fonctionnement cérébral. À vous d'ouvrir vos yeux intérieurs pour utiliser vos intuitions afin de préciser non plus un chemin de vie qui a du sens, mais plutôt un chemin de vie qui a du cœur.

9. STRATÉGIE ANTISTRESS

Il faut prendre très tôt de bonnes habitudes,
surtout celle de savoir changer souvent et facilement d'habitudes.
Pierre Reverdy

Au-delà des capacités innées de chacun et des cadeaux de dame nature au moment de notre naissance, nous développons tous des habiletés, des manières d'agir, des habitudes.

Une stratégie est une habitude composée d'une série d'étapes conduisant d'un point de départ à un point d'arrivée, d'une situation de départ à un objectif, d'un état émotionnel à un autre.

De même, le stress et la peur ont une stratégie qui leur est propre. Il en est ainsi également pour le calme, la paix, le lâcher-prise.

Ce qui vous permet de vivre tel ou tel état émotionnel, ce n'est pas tant la réussite ou l'échec, mais votre capacité à gérer vos états internes, émotionnels et votre langage intérieur. En voulez-vous la preuve ?

Il vous suffit de regarder autour de vous, vos collègues de travail, vos proches, vos amis, pour observer que certains, malgré de nombreuses responsabilités, demeurent calmes et parviennent à apprécier leur journée alors que d'autres, peut-être moins sollicités, sont stressés, débordés. C'est une question d'attitude, de choix.

En fait, chaque expérience que vous vivez vous offre une occasion de développer votre potentiel à gérer vos émotions et vos pensées, à décider comment vous souhaitez réagir. Lorsque vous êtes conscient de vos conditionnements, vous avez le choix de réagir, ou non, à un événement extérieur, à une situation, car vous pouvez évaluer votre propre perception de celle-ci, la confronter à la réalité dépouillée des émotions et des scénarios qui la déforment.

Pour élaborer votre stratégie antistress, ce qui compte, ce n'est pas ce que vous savez ou croyez savoir, mais ce que vous en faites ! Il en va de même pour ce livre que vous tenez dans vos mains. Peut-être savez-vous déjà ce qu'il contient, mais peut-être pas. Les vraies questions sont : « Comment l'utilisez-vous ? Que mettez-vous en pratique et de quelle manière ? »

États internes

L'état interne est défini par la somme de ce que vous pensez et ressentez dans un contexte particulier. À chaque instant, un état interne est présent. Cet état conditionne vos actions et favorise ou non l'expression de votre potentiel, de vos capacités.

Cet ensemble de pensées et d'émotions vient d'un événement extérieur à votre perception de la réalité. Or, vous savez sûrement aussi bien que moi que cette perception est déformée, selon les lunettes qui sont sur le bout de votre nez. Souvenez-vous que ces lunettes incluent aussi de nombreux filtres : des facteurs sociologiques, économiques, culturels, religieux. Aussi, ce qui provoque vos réactions, ce ne sont pas les situations, mais votre manière de les envisager qui est déformée par la tendance naturelle de votre esprit à se promener dans le passé ou dans le futur. Par exemple, mes grands-parents ayant vécu les deux guerres mondiales, mes parents ont été imprégnés dans leur enfance des états internes de manque, de rationnement et d'insécurité. Plus tard, lorsque le garde-manger commençait à se vider, cette situation évoquait en eux ce sentiment de manque, de peur et, très rapidement, les placards étaient pleins à craquer de nourriture. De quoi nourrir toute une armée ! Pour résumer :

1. Vous vivez une expérience.
2. Vous l'interprétez en fonction de nombreux filtres.
3. Un état interne particulier naît de cette interprétation.
4. Vous agissez en accord avec cet état.

Il est possible de préciser toute une gamme d'états internes à l'aide d'une échelle, non exhaustive, car il paraît bien difficile de tous les inventorier, tellement l'être humain est complexe et diversifié. Plus l'état interne est agréable, plus l'accès à ses capacités est facile. Il peut être intéressant de définir votre propre échelle d'état interne et de tenir un journal de bord quotidien des états que vous vivez davantage, des circonstances favorisant des états internes particulièrement utiles pour affiner votre stratégie antistress.

1. Joie, savoir, liberté, amour
2. Passion
3. Enthousiasme, empressement
4. Attente positive et confiance
5. Optimisme
6. Espoir
7. Contentement
8. Ennui
9. Pessimisme
10. Frustration, irritation, impatience
11. Accablement, déception
12. Doute, confusion
13. Soucis, inquiétude
14. Blâme, découragement
15. Colère
16. Vengeance
17. Haine et rage
18. Jalousie
19. Insécurité, culpabilité
20. Peur, angoisse
21. Désespoir

Maintenant, voyons comment vous pouvez mettre en pratique ce que vous avez lu jusqu'ici pour construire votre stratégie antistress personnelle. Pour cela, il est d'abord nécessaire de mettre à jour votre stratégie actuelle.

MISE À JOUR DE LA STRATÉGIE DE STRESS

La meilleure façon de découvrir comment le stress apparaît en vous, c'est d'utiliser vos souvenirs :

1. Trouvez une situation dans le passé proche où vous avez été dans un état interne moyennement désagréable, stressant. Ne choisissez pas une crise ou un état intense, car vous ne serez pas en mesure de découvrir votre stratégie et puis vous trouverez cela inconfortable pour rien.
2. Vivez la scène une première fois, comme si elle se produisait là, maintenant.
3. Identifiez l'élément déclencheur de la stratégie. Cela va souvent très vite et vous aurez peut-être besoin de revivre plusieurs fois ce souvenir pour le trouver. La phase d'interprétation étant rapide, portez particulièrement votre attention à ce qui se passe juste avant que vous agissiez.
4. Concentrez-vous au maximum (vous pouvez utiliser la technique pour franchir la porte du moment présent) afin de prendre conscience de ce qui se passe en vous sur le plan de vos pensées et de vos émotions. Décortiquez l'interprétation que vous avez de la situation choisie.
5. Sur une feuille que vous aurez divisée en deux colonnes, notez votre stratégie point par point, en précisant les pensées et émotions qui composent l'état interne vécu.

Vous pouvez vous aider du schéma ci-dessous pour noter vos réponses :

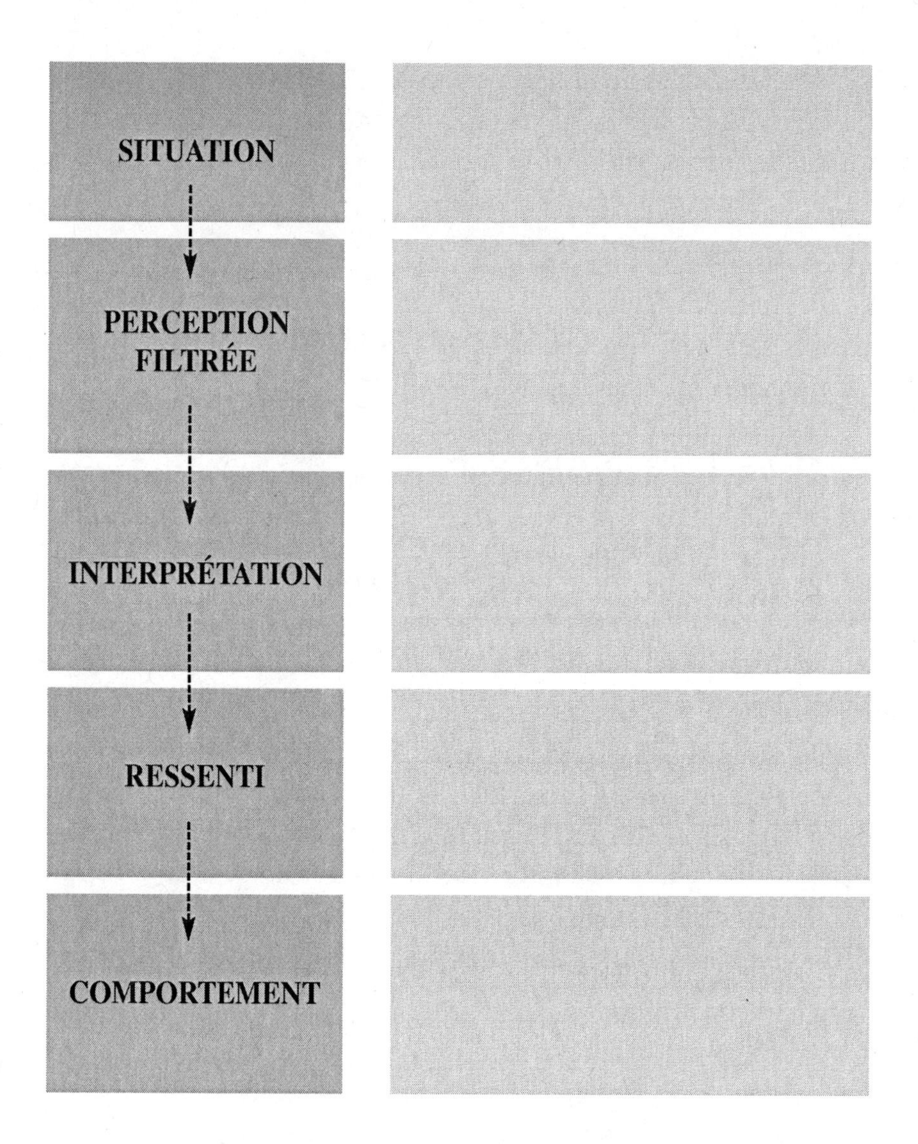

Il serait intéressant aussi de vous poser les questions suivantes:

- Dans cette situation, quelle est votre croyance limitante principale ?
- Que pensez-vous de vos capacités à faire face à cette situation si celle-ci devait se produire ?

CONSTRUIRE SA STRATÉGIE ANTISTRESS

Une nouvelle stratégie est rarement parfaite dès le début. Il convient de la tester, d'effectuer des réajustements puis de tester de nouveau, et ainsi de suite, jusqu'à ce que vous obteniez une modification notable de votre état interne.

À partir de la stratégie que vous avez mise à jour :

1. Remplacez les pensées par des questions afin d'ouvrir de nouvelles perspectives.
2. Installez une nouvelle étape, que j'appelle fusible, aussitôt après le déclencheur pour désamorcer l'état interne et faire disjoncter le circuit électrique du stress. Parfois, cela peut être simplement de modifier l'ordre de votre stratégie de stress, de permuter certains éléments, de se souvenir de moments agréables, etc.
3. Utiliser votre respiration pour ramener votre esprit dans l'instant présent peut être une nouvelle étape utile à ajouter. Essayez, et si cela ne fonctionne pas, faites autre chose.
4. Écrivez dans la deuxième colonne les questions, changements et nouvelles étapes que vous apportez pour définir clairement votre stratégie antistress.
5. Exercez cette stratégie dans des situations faiblement anxiogènes afin de la tester, de l'améliorer, de l'intégrer et de déconditionner votre mode de réaction habituel.

Vérifiez chaque fois votre état interne et demandez-vous ce que vous pouvez faire pour rendre celui-ci de plus en plus efficace. Vous pouvez utiliser les tableaux suivants pour vous aider.

ACCÉDEZ DE NOUVEAU À VOS CAPACITÉS
EN VOUS RAPPELANT CE QUI SUIT :

Ce qui vous rend heureux dans votre vie actuellement	
Ce qui vous stimule le plus	
Ce dont vous êtes fier	
Votre dernière victoire par rapport à l'anxiété	
Vos outils	

REPÉREZ ET LISTEZ VOS SYSTÈMES ANTISTRESS, C'EST-À-DIRE TOUT CE QUE VOUS POURRIEZ FAIRE DE NOUVEAU SUR LE PLAN **PHYSIQUE**

RESPIRATION	
POSTURE DU CORPS	
MOUVEMENT	
POSITION DES PIEDS	
POSITION DES MAINS	
VÊTEMENT	

SUR LE PLAN DE VOTRE LANGAGE INTÉRIEUR, POUR CHACUNE DES PENSÉES ANXIOGÈNES, TROUVEZ UNE CONTRE-MESURE PLUS RELAXANTE

STRATÉGIE ANTISTRESS

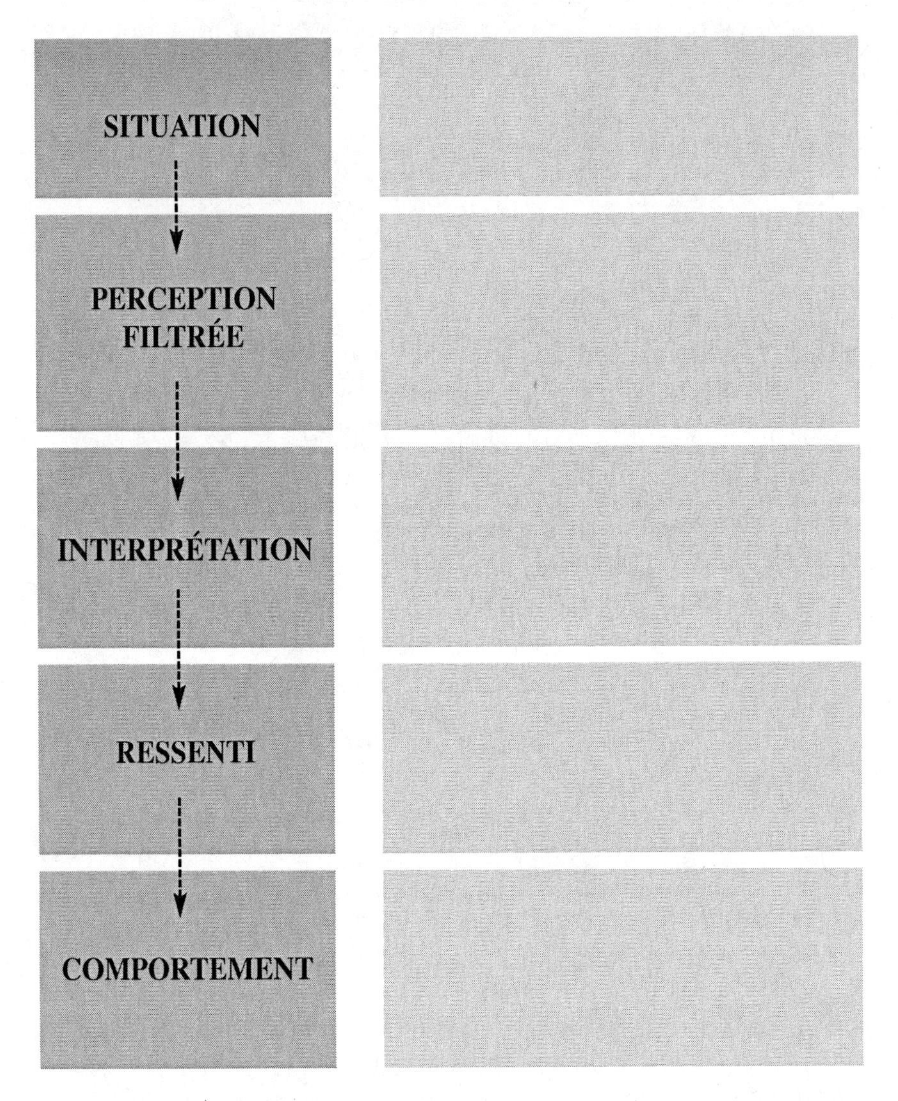

Qu'est-ce qui est différent ? Pouvez-vous quantifier en pourcentage la diminution de votre anxiété ? Établissez ce pourcentage : ________ %

À vous d'exercer vos stratégies antistress pour de petites choses au début afin de prendre confiance et de développer de nouveaux automatismes.

Pour vous aider à construire votre stratégie antistress, voici quelques remarques qui pourraient vous inspirer :

- Ce qui compte, ici, ce n'est pas ce que vous savez, mais la façon dont vous mettez en application ce que vous savez !
- Il n'y a pas de bonnes ou de mauvaises stratégies, il y a seulement des stratégies appropriées ou non à un contexte particulier.
- Toute stratégie est utile à quelque chose dans la mesure où celle-ci vous permet d'apprendre et de vous adapter afin d'améliorer ce que vous faites.
- Il y a déjà eu au moins un moment dans votre vie où vous avez su gérer votre anxiété. Souvenez-vous de ce que vous avez fait, dit, pensé et ressenti dans cette situation, en imaginant que vous revivez ce souvenir.
- Vous avez des pensées, mais vous n'êtes pas vos pensées et vous pouvez diriger votre conscience sur vos pensées, pour les observer et les laisser passer, comme des nuages dans le ciel.
- Vous pouvez apprendre à repérer le moment où vous entrez dans un état d'anxiété et dire « stop ! » aux scénarios négatifs.
- C'est surtout en modifiant vos filtres de perception (voir « Mise à jour de la stratégie de stress ») que vous pourrez rediriger votre interprétation d'un événement vers un état émotionnel plus confortable.
- Plus vous avez de choix, plus vous pouvez faire face à un large éventail de situations anxiogènes. Soyez créatif !
- Si ce que vous faites ne fonctionne pas, changez-le. Par contre, si c'est bon, gardez-le et continuez à le faire.
- Vous avez de bonnes chances de diminuer votre anxiété en évitant de la fuir.

- L'anxiété représente un mur qui empêche votre esprit conscient d'accéder aux forces et capacités se trouvant dans votre esprit inconscient.
- Votre esprit inconscient est comme un enfant effrayé qui compte sur votre esprit conscient adulte pour le rassurer et le réconforter.
- L'anticipation est une arme à double tranchant que vous pouvez utiliser soit pour envisager le pire, soit pour construire une vision suffisamment motivante, sécurisante et positive de votre avenir et de l'attitude que vous désirez avoir.

10. « COURS, FORREST, COURS ! »

Si tu ne profites pas du temps que tu as de libre,
tu n'en profiterais pas davantage quand ce
temps serait dix fois plus considérable.
Alexandra David-Neel

Combien de fois avez-vous entendu ce qui suit : « Je n'ai pas eu le temps de te téléphoner, de faire l'épicerie, de faire tel sport ? » Le temps semble devenir aussi précieux que rare dans une société où l'on court après lui pour accomplir toujours plus. Oubliant que la vie est une capsule de temps, ce dernier se mesure en minute, heure, jour, semaine, mois et année, réglant ainsi notre vie au diapason du tic-tac de nos montres au détriment, parfois, du soleil et des étoiles. D'ailleurs, avez-vous déjà songé à ce que serait votre existence sans votre montre ? Si l'on mesurait le temps selon le nombre de respirations, la vie semblerait sûrement plus courte, car quand on court, on respire plus vite. Le temps défile souvent à une vitesse incroyable, un peu comme si l'on cherchait à le rattraper, un peu comme si l'on était son prisonnier. Est-ce nous qui portons une montre ou la montre qui nous porte en elle ?

Le temps, dit-on, c'est de l'argent. Cela signifie-t-il que si l'on ne gagne pas d'argent, il n'a aucune valeur ? Ou pire encore, que l'on n'a pas, ou peu, de valeur ? Que l'on n'est rien ou presque ? Penser cela revient à dire que l'on se définit surtout par l'argent et non par ce que l'on est. Or, ce que l'on est diffère de ce que l'on fait, car je ne suis pas ce que je fais tout comme je ne suis pas de l'argent. Tout cela est peut-être ambigu. D'autant plus que ce que je fais contribue à faire ce que je suis. Mais que vaut le temps ?

Il a pour valeur, semble-t-il, ce que l'on en fait. Pourtant, plus on en fait, plus on court après lui, par insatisfaction. Et si sa véritable richesse se trouvait au-delà ? C'est-à-dire dans la satisfaction ressentie au travers de ce laps de temps qui vient de s'écouler, de la manière dont on vient de le vivre. Une de mes clientes me confiait qu'à ses yeux, prendre le temps de vivre sa vie, c'est merveilleux. Qu'est-ce que cela signifie pour vous ?

Il existe le temps de la nature, déterminé par le rythme des saisons, de notre environnement en fait. Et il y a aussi le rythme biologique, celui de notre organisme, notre horloge intérieure, comme certains l'appellent. L'un et l'autre s'influencent. Si l'on se force et que l'on va à l'encontre de son propre rythme, on dérègle celui-ci et cela se répercute dans l'environnement. L'urbanisation, qui est un phénomène récent, vient ainsi perturber le rythme biologique et la relation avec le temps, par l'environnement. Avez-vous remarqué que dans le mode de vie contemporain, au lieu de prendre du repos en hiver, qui est la saison de l'année la plus exigeante pour l'organisme, on travaille, travaille et travaille encore et on se repose en été. Pourtant, l'été est la saison où l'on possède le plus d'énergie, celle qui est clémente avec le corps. C'est en hiver que l'on a le plus besoin de repos pour compenser le manque de luminosité et la rigueur du climat. Cette valeur du temps a considérablement changé, ne croyez-vous pas ?

On peut aussi identifier une autre forme de temps, celui qui s'écoule dans l'esprit ou le temps psychologique. Par exemple, deux personnes qui vont au cinéma regarder le même film vont avoir deux interprétations différentes. Pour l'une, le temps passe vite, pour l'autre, il sera interminable. Pourtant, il s'est écoulé la même durée, celle d'un film (je vous laisse deviner qui n'a pas aimé le film). Cela revient un peu à dire que le temps existe surtout dans l'esprit humain, selon l'interprétation qu'il en a. Et comme le dit si bien Gustave Thibon, « la hâte rétrécit le pouvoir créateur du temps et dilate son pouvoir destructeur ». Le temps est donc relié au mouvement, car l'action s'inscrit dans une durée. S'il n'y a plus de temps, il n'y a pas de mouvement.

La valeur du temps serait donc définie par l'harmonie entre le rythme du corps humain et le rythme de la nature, la satisfaction des actions, des résultats qui en découlent et l'interprétation de son écoulement. Une gestion du stress efficace s'appuie sur une perception adéquate du temps qui passe, sur sa capacité à faire honneur à ses responsabilités tout en gardant présent à l'esprit que la vie apporte son lot d'imprévus et qu'un jour commence au lever du soleil pour s'achever à son coucher ou si vous préférez, qu'il y a 24 heures par jour, ni plus ni moins. Plutôt que de lutter contre cette évidence, on peut apprendre à accepter que la condition humaine ne permette de réaliser dans une journée que ce qu'elle peut contenir par sa durée. Appréciez davantage la qualité de vos actions plutôt que leur quantité ou l'argent que vous en retirez, car le bien-être ne relève pas tant de ce que vous avez, mais de ce que vous êtes.

Gestion du temps

Le manque de temps est la réalité de bien des gens et peut-être plus particulièrement des citadins qui vivent dans un milieu comportant tellement de stimulations variées qu'elles deviennent un engrenage dont il semble difficile de s'extraire.

Même si l'environnement direct dans lequel vous vivez se répercute sur votre qualité de vie, il n'en demeure pas moins que votre relation avec le temps et la manière dont vous aménagez celui-ci sont aussi des variables influençant votre niveau d'anxiété.

Ma pratique professionnelle m'a permis de constater, non pas sans une certaine surprise, que beaucoup de personnes anxieuses croient avoir une bonne gestion de leur temps alors qu'elles se plaignent justement d'en manquer et d'être constamment à la course. Paradoxal, non ? À croire que certains préfèrent vivre continuellement dans l'action pour mieux éviter de se retrouver devant leurs propres angoisses, leurs inquiétudes sur l'avenir ou encore de donner un sens à leur vie. Si vous vous reconnaissez dans ce comportement, sachez que vous êtes en train de fuir, de vous fuir et de continuer à alimenter vos angoisses. Ralentir votre rythme de vie peut offrir de nombreux avantages, dont celui de mieux profiter de ces petits moments qui font les grands. Encore faut-il le vouloir…

Si vous êtes prêt à vraiment savoir à quoi ressemble votre semaine et tout ce que vous faites dans la journée, une belle manière d'en avoir une idée juste consiste à prendre une feuille de papier que vous diviserez en sept colonnes, pour chacun des jours de la semaine. À vous ensuite d'inscrire les heures, en commençant par exemple à l'heure à laquelle votre réveil sonne le matin et en achevant par le coucher.

Inscrivez tout ce que vous faites dans la journée, en incluant le plus précisément possible le temps consacré aux déplacements, aux repas, à l'épicerie, à l'ordinateur, au sommeil, au travail, à la télévision.

Lorsque vous avez terminé ce bilan, prenez un moment pour regarder à quoi ressemble une des nombreuses semaines de votre vie.

Une de mes amies, à la suite d'une grande période de fatigue qu'elle ne comprenait pas, car elle était justement dans une accalmie professionnelle, fit cet exercice par curiosité, non seulement pour une semaine, mais aussi pour chacun des mois. Quelle ne fut pas sa surprise lorsqu'elle découvrit qu'elle était impliquée dans tellement de formations et de remplacements professionnels que, dans la dernière année qui venait de s'écouler, elle avait eu, en tout et pour tout, huit fins de semaine de repos ! Je vous laisse diviser les 52 semaines qui composent une année par huit congés pour savoir la fréquence à laquelle mon amie pouvait recharger ses batteries. Surprenant, non ?

Quels sont les domaines auxquels vous consacrez le plus de temps, par ordre décroissant ?

1. ______________________________
2. ______________________________
3. ______________________________
4. ______________________________
5. ______________________________
6. ______________________________

Au regard de vos réponses, demandez-vous si la manière dont vous utilisez votre temps répond vraiment aux domaines de votre vie qui sont prioritaires ?

À chacun sa recette, donc, d'où l'importance de se connaître un minimum afin d'être en mesure de voir en soi-même si l'on a tendance à courir pour fuir certains aspects de sa vie ou de soi-même. Dans tous les cas, gardez présent à l'esprit que l'on a besoin de satisfaire différents domaines de sa vie et de parvenir à un certain équilibre entre eux. De cet équilibre découlera un sentiment de satisfaction naturelle et d'épanouissement, par le fait même que l'on accorde un laps de temps qui convient, autant que possible, à chacune des dimensions importantes de l'être.

Alors, à quoi peut bien ressembler une bonne semaine en matière de temps ?

La semaine idéale

Sur une feuille de papier, faites ce qui suit :

1. Énumérez les différents domaines auxquels vous aimez consacrer du temps : votre travail, vos amis, votre famille, vos loisirs, vos formations, en précisant la durée que vous souhaitez allouer à chacun d'eux.
2. Ensuite, inscrivez les dimensions de votre vie auxquelles vous devez donner du temps (je suppose que le travail figure dans la première liste, sinon vous pouvez en profiter pour chercher quel genre d'emploi vous convient) et indiquez aussi le temps que cela occupe dans votre vie.
3. Dans un nouveau tableau hebdomadaire, commencez par disposer les éléments que vous avez mis à jour au premier point.
4. Ajoutez ensuite les activités du deuxième point en inscrivant le temps que vous pouvez y consacrer, compte tenu de ce que vous avez déjà inséré dans votre agenda.
5. Faites la soustraction du temps qui est réellement à votre disposition pour les activités du deuxième point avec la durée que vous devez, en principe, y consacrer.

Si vous avez des écarts, cela signifie que vous avez besoin d'améliorer votre équilibre de vie. Cherchez les solutions possibles à ce manque de temps, en privilégiant les dimensions de votre vie que vous aimez et qui sont essentielles à vos yeux. Explorez toutes les pistes imaginables, faites preuve d'ouverture d'esprit, afin de tendre, autant que vous le pouvez et le souhaitez, vers l'idéal que vous avez devant les yeux.

Suggestions

Dans votre liste d'activités, pensez à préciser les éléments suivants :

- Votre nombre d'heures de sommeil.
- Vos temps libres, pour ne rien faire ou au contraire, pour laisser place à la spontanéité afin de ne pas devenir trop rigide en voulant respecter à la lettre un agenda qui deviendra un dictateur.
- Vos capsules de temps pour faire face aux imprévus afin de ne pas être trop serré dans votre horaire et avoir la possibilité de vous adapter sans que cela brime tous vos efforts. Parfois, c'est incroyable comme seulement quinze ou trente minutes réservées aux aléas de la vie peuvent faire toute la différence dans une gestion du stress efficace. Essayez, et vous verrez !

Planification de tâches

Un autre outil pour mieux gérer son temps consiste à planifier des tâches à l'aide de listes. Un des principaux avantages de cette manière de fonctionner est aussi d'éviter des oublis, donc de gagner du temps. Par contre, son inconvénient est de se fixer des listes irréalisables, trop longues, qui peuvent augmenter le stress. Pour éviter cela, il peut suffire alors de se limiter à un certain nombre d'éléments par liste. Ainsi, vous passerez au travers de votre liste avec un peu plus de motivation. Vous aurez davantage d'occasions d'en faire plus avec une petite liste que de vous décourager et de vous énerver avec une liste trop longue que vous ne pourrez compléter, par manque de réalisme et non faute de temps.

Vous pouvez dresser des listes à la journée (les plus pratiques, selon moi) ou par thèmes.

Souvent, en rédigeant une liste, vous aurez tendance à commencer par ce qui vous inspire le plus et à finir par ce qui vous intéresse le moins. C'est une belle façon de perdre votre motivation pour finir votre liste, car plus vous cochez ce que vous accomplissez, plus vous vous éloignez du plaisir en allant vers la réalisation des corvées. Faire l'inverse vous permettra d'être plus efficace.

Aussi, lorsque vous réalisez votre liste, commencez par écrire vos tâches en vrac.

Ensuite, refaites la liste en commençant par ce qui vous déplaît le plus, de manière à conserver la motivation à finir les obligations au plus vite et à passer ensuite à ce que vous préférez. Vous ressentirez ainsi à la fin de votre journée une plus grande satisfaction, car vous aurez non seulement réussi à respecter la liste que vous vous êtes fixée, mais aussi une plus grande énergie, par le plaisir retiré au travers des derniers points mentionnés.

Hors du temps

C'est à la fin d'un de ces rudes hivers québécois que je fis la connaissance de David, mi-vingtaine, qui vivait un grand stress dans son quotidien en prévoyant à l'extrême la durée que peuvent lui prendre ses déplacements. Il organisait dans ses moindres détails l'itinéraire à emprunter, un chemin de secours au cas où il y aurait une panne de métro et l'ajout d'un quart d'heure au temps prévu pour effectuer le trajet, en cas de retard. Malgré ce maximum de précautions, David ne parvenait pas à lever les yeux de sa montre aussi bien pendant son déplacement que pendant les quelques heures qui le précédaient. Cette obsession l'empêchait de se concentrer sur ses études, les conversations en cours, une lecture. Il était tout simplement prisonnier de sa montre, qui mobilisait une très grande partie de sa concentration et de ses pensées. Son objectif étant de parvenir à être plus conscient de ce qu'il fait dans l'instant présent et de cesser de se projeter autant dans le futur, je lui proposai, pour l'aider à développer ces nouveaux comportements, trois modifications de ses habitudes :

- Ne conserver chez lui qu'un radio-réveil (il possédait des horloges dans toutes les pièces de son appartement en plus de sa montre, au cas où).
- Se libérer de sa montre en la rangeant dans sa poche.

- Faire sonner le radio-réveil pour lui indiquer l'heure de départ à ses cours et autres activités.

Deux semaines plus tard, David profitait du temps qu'il consacrait à regarder sa montre à lire, à contempler la vie, les gens dans la rue, les boutiques, à explorer des lieux nouveaux lorsqu'il arrivait en avance à un rendez-vous, en se souciant de moins en moins du temps qui s'écoule, parfois même en perdant la notion de celui-ci ! Il réalisa qu'il savait tellement bien organiser son temps qu'il pouvait se faire pleinement confiance et ne plus se soucier d'être en retard pour mieux profiter de chaque instant et savourer pleinement ce qu'il aime faire. Ses amis observèrent aussi sa plus grande présence, sa meilleure écoute, et la qualité de ses relations s'améliora grandement en même temps que son stress diminuait à vue d'œil.

Si, comme David, votre montre contrôle votre vie, que diriez-vous de la détacher de votre poignet, de sortir de chez vous et de laisser vos envies guider vos pas vers une meilleure relation avec vous-même ?

TROISIÈME PARTIE

L'anxiété relationnelle

Les relations sont sûrement le miroir dans lequel
on se découvre soi-même.

Jiddu Krishnamurti

Au XVIe siècle, Paracelse développe la théorie que tout dans l'Univers est analogue à l'homme et que l'infinité des « modèles réduits » (ou microcosme) imite d'une façon plus ou moins parfaite le fonctionnement de l'Univers (ou macrocosme).

En élargissant cette hypothèse, votre vie extérieure reflète votre vie intérieure. L'anxiété relationnelle repose sur l'idée que le problème que vous devez affronter dans toute communication est davantage lié au reflet de votre personne et de la relation que vous entretenez avec vous-même, plutôt qu'à celle que vous avez avec l'autre personne.

Puisqu'il en est de même pour vos interlocuteurs, la communication devient alors le terrain de jeux où s'expriment les tensions propres à chacun et la rencontre où chacun peut projeter ses craintes et ses angoisses dans le regard de l'autre. Vous en voulez une preuve ? La prochaine fois que vous recevrez des critiques négatives, demandez-vous si celles-ci parlent de vous ou de la personne qui les exprime.

1. LE MIROIR RELATIONNEL

Ce miroir relationnel implique également les souvenirs puisque ceux-ci déterminent ce à quoi vous vous attendez, vos comportements et votre façon de réagir aux autres, de communiquer. Vos souvenirs influencent votre présent et votre futur. Plus ils sont confus, plus ils peuvent vous faire ressentir les émotions associées à vos souvenirs.

Vos expériences actuelles de vie évoquent en vous des souvenirs et des émotions de votre passé auxquels vous êtes susceptible de réagir. Ainsi, si une conversation évoque en vous une vieille dispute, les sentiments qui en ressurgissent vont nuire à votre attitude présente. C'est un peu comme si votre esprit retourne en arrière avec une machine à voyager dans le temps, mais que votre corps reste dans le présent. Vous êtes là, mais vous réagissez en fonction de votre souvenir passé.

Vos souvenirs et vos expériences de vie passée peuvent, par les apprentissages qu'ils offrent, influencer votre capacité de décision. Deux sortes de décisions peuvent être prises :

- les décisions efficaces, qui permettent d'atteindre vos objectifs ;
- les décisions limitantes, qui vous empêchent de prendre des décisions adaptées à la situation réelle, dans laquelle vous êtes ici et maintenant. Elles viennent souvent du passé et des décisions prises auparavant, mais que vous avez pu oublier avec le temps.

EXERCICE DU MIROIR RELATIONNEL

Voici un exercice inspiré des travaux de Robert Dilts pour mettre à jour, à l'aide de différentes positions perceptuelles, cet effet miroir dans une communication délicate, pour laquelle vous souhaitez prendre de nouvelles décisions conduisant à d'autres comportements, plus appropriés.

Vous pourrez trouver une variante de cet exercice au chapitre « Apprendre à gérer un conflit ».

À partir du souvenir d'une communication non efficace que vous avez vécue, faites les actions suivantes :

1. Posez quatre feuilles sur le sol où vous aurez dessiné des cercles.
2. Entrez dans le premier cercle qui représente votre point de vue. Imaginez que vous observez la personne avec qui vous communiquez. Que voyez-vous ? Que pensez-vous ? Que ressentez-vous ?
3. Laissez toutes vos observations et émotions dans ce premier cercle et allez dans le deuxième cercle.
4. Imaginez que vous êtes l'autre et regardez-vous dans le premier cercle. Que voyez-vous ? Que pensez-vous ? Que ressentez-vous ?
5. Laissez toutes vos observations et émotions dans ce deuxième cercle puis placez-vous dans le troisième cercle.

6. Imaginez que vous êtes un arbitre, un simple spectateur. Observez ce qui se passe devant vous, la relation entre les deux personnes, entre vous et l'autre. Que pensez-vous de la situation en face de vous ?
7. Laissez toutes vos observations et émotions dans ce troisième cercle puis entrez dans le quatrième cercle. Cet espace représente un point de vue au-delà du troisième cercle. Cela peut être la position d'un extraterrestre, d'un animal, d'un végétal.
8. Dans cette quatrième position, comparez les pensées de l'observateur (en troisième position) aux vôtres, celles du premier cercle, puis inversez-les, qu'elles soient agréables ou pas.
9. Revenez dans le premier cercle et regardez à nouveau l'autre, dans le deuxième cercle. Qu'est-ce qui est différent maintenant ?

Derrière le miroir

Quels que soient le défi relationnel que vous devez affronter et l'anxiété qui peut en découler dans votre vie, souvenez-vous de la théorie du miroir relationnel. Elle a le précieux avantage de vous montrer le chemin au bout duquel vous trouverez la relation, le lien entre ce que vous reprochez à l'autre et ce qui n'est pas résolu chez vous. Une fois cette prise de conscience faite, vous aurez fait le premier pas pour changer ce qui doit l'être et agir ainsi directement sur votre anxiété de façon durable.

C'est en rétablissant la communication avec vous que vous serez réellement en mesure de communiquer efficacement avec les autres et de développer votre capacité à transformer l'anxiété en une énergie plus harmonieuse et constructive.

La plupart des outils proposés jusqu'ici ont tous la particularité de vous amener à trouver la sécurité en vous, car celle-ci ne vient pas de l'extérieur, ni des objets que vous accumulez, ni d'une relation amoureuse bancale, ni d'un emploi que vous détestez, mais d'un confort que vous choisissez depuis plusieurs années.

La prochaine fois que vous serez dans une situation anxiogène, envisagez-la comme une occasion de pouvoir utiliser la théorie du miroir relationnel afin de débloquer ce qui se passe à l'intérieur de vous en prenant du recul, pour observer ce qui se manifeste à l'extérieur. Il ne vous restera plus qu'à briser ce lien qui vous unit encore à vos vieux démons en prenant la ferme décision, avec vous-même, de changer ce comportement. Manifestez l'intention, en formulant par exemple celle-ci sous une forme affirmative : « Je prends la décision à partir d'aujourd'hui de demeurer calme dans mes communications ou de briser ce lien du passé ou de me taire. » Cela vous aidera à vous rappeler la promesse que vous vous faites et que vous serez amené à pratiquer dans votre vie.

Bien sûr, pour vous aider, n'hésitez pas à utiliser les outils vus précédemment pour explorer vos souvenirs et vos anciennes décisions. Il peut être parfois difficile de porter vous-même un regard différent sur une situation donnée. Vous avez alors le choix de chercher seul ou de vous faire aider. Les amis peuvent rarement jouer ce rôle, car dans la mesure où ils participent, extérieurement, à refléter ce qui vous habite, ils font partie du décor. Bien souvent, leur regard ira dans votre sens. Or, c'est dans le sens inverse que vous trouverez le lien qui a créé la situation anxiogène. Privilégiez une personne neutre, quelqu'un qui ne vous connaît pas.

Cela dit, comment améliorer votre communication et ainsi résoudre un conflit en vous en utilisant un conflit interpersonnel, source d'anxiété ?

2. BLABLABLA

Entre ce que je pense, ce que je veux dire,
Ce que je crois dire, ce que je dis, ce que vous avez envie d'entendre,
ce que vous entendez, ce que vous comprenez...
il y a dix possibilités que l'on ait des difficultés
à communiquer. Mais essayons quand même...
Bernard Werber

Une meilleure relation avec soi et avec autrui implique d'adopter des comportements particuliers dans son langage et de développer des capacités spécifiques qui vont augmenter la conscience et la connaissance de soi-même. L'anxiété résultant souvent d'une déconnexion à ce qui se passe à l'intérieur de soi et d'une communication déformée, il convient de rétablir celle-ci pour diminuer efficacement son anxiété dans ses relations.

Les experts de la communication ont su intégrer dans leurs comportements les cinq capacités suivantes :

1. Ils savent ce qu'ils veulent, c'est-à-dire qu'ils ont déjà visualisé les résultats désirés dans un échange interpersonnel ou avec eux-mêmes et ils se sont imprégnés des ressentis associés aux objectifs fixés.
2. Ils ont une grande acuité sensorielle pour évaluer les réactions qu'ils suscitent.
3. Le langage étant non verbal à plus de 90 %, savoir observer les indices physiologiques est indispensable pour mieux orienter la discussion, écouter et comprendre son interlocuteur.
4. Ils font preuve de flexibilité dans leurs comportements.
5. Si ce qu'ils font ou disent ne fonctionne pas, il convient d'agir autrement ! Se comporter de la même manière signifie généralement obtenir davantage le même résultat. Une grande capacité d'adaptation à son interlocuteur favorise grandement l'atteinte des buts fixés et crée une relation de type gagnant-gagnant.

Dans l'optique de développer ces trois facultés, le prochain chapitre présente des exercices ludiques pour améliorer la capacité à communiquer.

D'ici là, vous pouvez commencer à vous exercer juste avant d'engager une conservation : « Quel est mon objectif en parlant à cette personne ou avec moi-même ? Quel message je souhaite transmettre ? »

Objectif de communication

Pour être pertinent et complet, définir un objectif, que ce soit de communication, de vie personnelle ou professionnelle, suppose qu'un certain nombre de conditions sont à prendre en compte pour vous assurer un maximum de réussite :

1. Un bon objectif est visualisé et exprimé positivement. La négation n'existant pas sur le plan cognitif, le cerveau ne peut que se faire une représentation sensorielle de la réalisation de ce que vous ne voulez pas obtenir. C'est cela qu'il garde en mémoire ! Voici un exemple. Si je vous dis : « N'imaginez pas que vous avez un accident de voiture », votre esprit imaginera d'abord que cela se réalise pour ensuite le nier. Or, l'émotion suscitée par cette visualisation s'imprime en vous et votre cerveau comprend que c'est ce que vous désirez ! Faites donc attention à vos pensées.

2. Plus votre visualisation est réelle, précise, concrète, avec un contexte, plus vous serez en mesure de mobiliser vos capacités en vue de sa réalisation. Alors, n'hésitez pas à utiliser votre imagination !

3. Dans le même ordre d'idées, pour visualiser correctement votre objectif, celui-ci doit être réaliste et exclusivement amorcé par vous-même. C'est vous qui portez la totale responsabilité de sa mise en chantier.

4. Un bon objectif nécessite d'être en harmonie avec votre environnement de vie. Assurez-vous que les conséquences des changements que vous entreprendrez vont respecter les différents domaines de votre vie, votre famille, vos amis.

5. Votre nouvel objectif tient compte des avantages que vous avez dans votre vie avant que vous ne le réalisiez, de sorte

que, lorsque vous atteindrez votre but, ces avantages seront préservés. Sinon, vous risquez de voir vos vieux comportements ou votre ancienne situation se reproduire !

6. Enfin, le point le plus important, selon moi, est que vous pouvez vérifier la réalisation de votre objectif à travers une formulation faisant appel à vos sens : « Je ressens cela », « il me voit faire cela », « je sais que j'ai atteint mon objectif, car je vois cela ».

Utilisez cette définition d'objectif en six étapes et vous découvrirez l'impact qu'elle peut engendrer dans votre vie.

Le langage verbal et non verbal

La communication se fait grâce au langage. Le langage est un processus structuré d'expression de la pensée et de la communication. Il comprend un ensemble de signes (mots) et de symboles arbitraires (lettres, chiffres) avec lequel nous codifions nos expériences sensorielles (visuelles, auditives, kinesthésiques, olfactives, gustatives). Il existe cependant deux sortes de langage :

1. Le langage non verbal
2. Le langage verbal

Le langage non verbal

Contrairement à ce que l'on pourrait croire, plus de 90 % de la communication se fait de manière non verbale. Comment ? Par des micro-indicateurs, on indique à son interlocuteur, inconsciemment, ses ressentis et aussi ses réponses !

- La posture : se tenir bien droit, avoir le dos courbé, les épaules inclinées vers l'avant.
- Les gestes : les mouvements des mains, des pieds, peuvent indiquer un calme, de la nervosité.

- La voix : le débit, la tonalité et le ton sont autant de signes de l'état émotionnel.
- La couleur de la peau : rougeur, blancheur, etc.
- La respiration : courte, régulière, profonde.
- Le mouvement des yeux : il précise le mode de représentation de la personne (visuel, auditif, kinesthésique), si elle est concentrée ou distraite.

Le langage verbal

Les 10 % qui restent sont constitués des expressions et des mots, appelés aussi prédicats. On en distingue cinq groupes, dont trois principaux qui sont les trois premiers :

1. Les prédicats visuels : voir, regarder, montrer, noter que quelque chose est brillant, clair, vague, flou.
2. Les prédicats auditifs : entendre, dire, crier, parler, écouter, prêter l'oreille.
3. Les prédicats kinesthésiques : sentir, toucher, ressentir le froid, la pression, la tension, la douleur.
4. Les prédicats olfactifs et gustatifs : goûter, saliver, sentir, savourer.
5. Les prédicats non spécifiques : penser, comprendre, changer, croire, savoir, se rappeler.

DÉVELOPPER SON ACUITÉ SENSORIELLE

Pour améliorer votre communication, il vous suffit de suivre les deux étapes suivantes lorsque vous commencez toute conversation :

1. Observer

Vous avez tout à gagner à observer, consciemment, les comportements de votre interlocuteur et les vôtres, car ceux-ci révèlent l'état émotionnel. En effet, ce que quelqu'un vit intérieurement se traduit extérieurement par son langage verbal et non verbal. Ainsi, vous pouvez prendre conscience des éléments suivants :

- La posture générale (droite, courbée, tête baissée) ;
- Les gestes (brusques, vifs) ;
- Les expressions contrastées du visage (froncer les sourcils, mâchoire contractée) ;
- La brillance du regard ;
- La respiration ;
- Le débit de la voix (lent, rapide).

Il n'est pas nécessaire de tout observer pour communiquer efficacement, mais bien de noter certaines modifications des facteurs ci-dessus. Vous saurez ainsi déceler les changements d'état émotionnel et pourrez identifier l'impact du message transmis ou reçu.

2. Se synchroniser

À partir des observations effectuées, vous vous synchroniserez avec votre interlocuteur. Cela signifie que vous refléterez à l'autre certaines attitudes que vous lui empruntez, de manière à établir un contact plus étroit, à un niveau conscient et inconscient. Cela favorisera le climat de confiance et d'écoute.

Par exemple, si votre interlocuteur parle rapidement, vous pourrez accélérer votre débit de parole ou bien, s'il agite un doigt, vous pouvez vous synchroniser en agitant un pied, par exemple.

Il ne vous reste plus qu'à vous entraîner à l'aide de quelques jeux. Amusez-vous à exercer l'observation et la synchronisation afin de développer votre acuité sensorielle.

Premier jeu

- Chaque jour, choisissez une personne à qui vous parlerez et chez qui vous observerez un aspect non verbal (la posture ou les gestes, par exemple).

- Ensuite, reflétez l'aspect non verbal que vous avez observé tout en continuant à discuter naturellement.
- Modifiez quelque chose dans votre attitude et vérifiez si votre interlocuteur fait de même. Si oui, c'est que vous êtes sur la même longueur d'onde. Sinon, recommencez.

Lorsque vous êtes suffisamment à l'aise avec un indice non verbal, prenez-en un autre et exercez-vous, un à la fois.

Avec un peu d'entraînement, vous serez en mesure d'observer et de vous synchroniser avec plusieurs indices non verbaux à la fois.

Deuxième jeu

- Choisissez un interlocuteur et adoptez une posture similaire à la sienne.
- Continuez à parler pendant quelques minutes tout en conservant la même attitude.
- Changez progressivement votre attitude, en vous penchant en avant, en croisant vos jambes, etc.

Si vous êtes bien synchronisé, l'autre personne vous suivra et adoptera une posture similaire. Cela vous démontre l'importance du langage non verbal dans une communication, sa capacité à influencer le contenu de la discussion et la sensation de confiance, de compréhension et d'écoute.

Développer sa capacité d'adaptation

Maintenant que vous avez amélioré votre capacité d'observation et de synchronisation non verbale, il ne vous reste plus qu'à tenir compte du langage verbal. Vous serez ainsi tout à fait capable de faire preuve de flexibilité et de trouver la bonne attitude qui vous permettra de faire passer votre message à votre interlocuteur.

En prêtant attention aux prédicats visuels, auditifs, kinesthésiques que votre interlocuteur utilise, vous pouvez identifier son système de représentation sensorielle principal.

Dans un discours, en tant que communicateur efficace, vous avez tout à gagner en utilisant les mêmes prédicats que votre interlocuteur et en restant dans son mode de perception de la réalité. De même, il est utile de connaître votre mode de perception principal et de prendre conscience de ce à quoi vous accordez le plus d'importance, en vue d'élargir votre vision.

Afin de vérifier que vous avez bien compris votre interlocuteur, vous pouvez reformuler ce que vous avez compris en utilisant des prédicats d'un autre système de représentation et cela va vous permettre en même temps d'augmenter votre efficacité en tant que communicateur.

3. LES OBSTACLES DE LA COMMUNICATION

Le langage est-il l'expression adéquate
de toutes les réalités ?
Friedrich Nietzsche

Voici certains obstacles qui peuvent interférer avec vos objectifs de communication lorsqu'une personne parle :

1. L'état d'esprit de la personne qui communique (émetteur) et la disposition dans laquelle se passe la communication : fâché, tendu, sur la défensive.
2. Les fortes émotions vécues chez l'émetteur peuvent provoquer un blocage.
3. Les préjugés et les stéréotypes agissent comme des filtres dans les perceptions de l'autre.
4. Le vocabulaire doit être familier pour votre interlocuteur.
5. La tonalité de la voix, les expressions faciales ne doivent pas être en discordance avec le discours.

Voici certains obstacles qui peuvent interférer avec vos objectifs de communication lorsqu'une personne écoute :

1. L'attitude, les émotions, les préjugés et les stéréotypes biaisent la communication.
2. Les idées préconçues et le désir d'avoir raison empêchent la compréhension.
3. Entendre, sans écouter, manquer d'ouverture d'esprit face au point de vue de son interlocuteur.
4. La tonalité de la voix et le non-verbal peuvent provoquer des émotions indésirables.

Le message

Une communication surchargée d'informations ou un message mal formulé provoque des comportements négatifs chez celui qui écoute. Il en résulte qu'une partie du message est négligée, oubliée et que seul le contenu familier sera retenu.

La perception

La réception du message peut être biaisée par la perception, que la personne qui écoute, porte sur la vie en général. Étant donné que nous ne retenons qu'une partie de la réalité et que celle-ci est filtrée par nos expériences de vie, notre culture, nos croyances, etc., il peut en résulter des déformations de l'information nuisibles à une communication efficace.

4. LES TROIS FILTRES DE PERCEPTION

Lorsque nous vivons une situation, trois filtres de perception peuvent s'intercaler entre l'expérience vécue et l'interprétation que le cerveau en fait, de façon à former un tout cohérent en accord avec le système de croyances et de valeurs que nous avons. Afin de lever les obstacles qu'ils engendrent dans la communication, il convient de savoir identifier les trois filtres de perception que vous pouvez rencontrer.

Les trois filtres, ou processus, de perception sont les suivants :

L'omission

Le processus de l'omission est relié aux informations manquantes, celles que nous oublions volontairement ou non. Cette capacité nous permet de nous concentrer sur un aspect de notre expérience plutôt que sur un autre, par une sélection des informations. Cependant, ce processus d'omission peut représenter une limite si nous laissons de côté et ignorons des aspects de notre expérience dont il serait nécessaire de prendre connaissance.

La généralisation

Le processus de généralisation nous permet de tirer des conclusions à partir de quelques expériences et de les appliquer à une catégorie d'expériences. Généraliser nous permet de tirer profit de notre expérience passée, de faire face à des situations similaires et d'élargir notre point de vue. C'est un processus très utile dans le mécanisme d'apprentissage. Par contre, le processus de généralisation nous amène à reproduire les mêmes comportements sans tenir compte de l'évolution des contextes et sans penser à les remettre en question. Ainsi, nous généralisons parfois une mauvaise expérience et lui donnons une dimension pour toute notre vie.

La distorsion

Le processus de la distorsion consiste à introduire des changements dans notre expérience sensorielle pour lui donner du sens, maintenir la cohérence des informations reçues. La distorsion est utile pour la planification, car elle permet de construire et d'envisager un futur imaginaire. C'est la capacité à faire du neuf avec du vieux, à créer. Toutefois, en utilisant ce mécanisme, nous pouvons aussi construire une expérience négative à propos de la réalité. La distorsion la plus courante est de croire que les autres perçoivent le monde comme nous et qu'ils partagent nos idées, nos valeurs et nos croyances.

Comment rétablir une communication avec l'autre et avec soi, la plus réaliste possible, en enlevant les trois filtres ci-dessus ?

5. RÉTABLIR UNE COMMUNICATION EFFICACE

L'incommunicabilité ?
Ce n'est pas que l'on ne communique pas assez.
On communique trop et mal.
Robert Lalonde

Le métamodèle est un ensemble d'outils linguistiques issu de la PNL qui permet de recueillir de l'information et de rétablir le lien entre le langage et l'expérience de la personne.

Il permet au communicateur de comprendre et d'être précis dans l'utilisation du langage pour rejoindre l'interlocuteur dans sa perception de la réalité. Il facilite aussi un dialogue avec soi plus terre-à-terre en offrant la possibilité de vérifier l'authenticité des scénarios engendrés par l'anxiété.

En s'attachant à la forme de la phrase plutôt qu'à son contenu, le métamodèle, grâce à des questions spécifiques, permet d'identifier les transformations types employées par une personne lorsqu'elle communique verbalement une expérience donnée. Rappelons ici que les trois processus de perception de la réalité sont l'omission, la généralisation et la distorsion. Lorsque l'anxiété se manifeste dans les pensées, elle utilise très souvent ces trois filtres pour une situation donnée. Ensuite, elle déforme cette dernière et crée ainsi d'autres scénarios irrationnels qui, mis ensemble, augmentent le stress et engendrent panique, crise d'angoisse, insomnie, palpitation. En résumé, les questions du métamodèle permettent de :

- Obtenir plus d'informations.
- Clarifier les propos d'une personne.
- Déceler les limites d'une personne ainsi que les siennes.
- S'offrir plus de choix.
- Réduire son anxiété en confrontant les pensées à la réalité.

RESTITUER L'INFORMATION

Durant une conversation, prenez le temps d'écouter votre interlocuteur afin de mettre à jour les processus de déformation de la réalité et ciblez les questions à poser pour restituer l'information nécessaire à une communication efficace. Ainsi, lorsqu'il y aura omission, vous pourrez poser les questions suivantes :

- Qui ? Quoi ? Quand ? Où ? Comment ?
- Quoi exactement ?

Le processus de généralisation se manifeste souvent par les mots *toujours*, *jamais*, *falloir*, *devoir*, *tous*, *aucun*. Il convient alors d'orienter les questions de manière à interpeller sur la soi-disant nécessité, sur l'origine de l'affirmation ou sur des exemples qui prouvent le contraire.

Enfin, le processus de distorsion se traduit par des liens de cause à effet non fondés, des lectures de la pensée, des présuppositions non réalistes du style « si ceci arrivait, il ne ferait pas cela ». Les questions à formuler ont alors pour but de préciser le lien illogique sous-jacent à l'idée de l'interlocuteur.

Pour vous y retrouver plus facilement, voici dans le tableau suivant des exemples de déformations et des questions pour obtenir l'information manquante.

EXEMPLE	QUESTION
PROCESSUS D'OMISSION	
Je suis en colère	À propos de qui, de quoi ?
Cela n'a pas d'importance	Qu'est-ce qui n'a pas d'importance ?
C'est mieux de rester	C'est mieux que quoi ?
Il m'a rejeté	Comment t'a-t-il rejeté ?
PROCESSUS DE GÉNÉRALISATION	
Elle ne m'écoute jamais	Vraiment jamais ?
Je dois faire cela	Qu'est-ce qui t'y oblige ?
Il faut que je sois sérieux	Que se passerait-il si tu ne l'étais pas ?
La vie est une jungle	Qui a dit cela ?
PROCESSUS DE DISTORSION	
Elle me regarde de travers, elle me déteste (appelé aussi lecture de la pensée)	As-tu déjà regardé quelqu'un de travers sans le détester pour autant ?
Si mon mari savait combien je souffre, il ne me ferait pas cela	Comment sais-tu qu'il ne le sait pas ?

Gardez en tête que le métamodèle est vraiment pertinent lorsque vous l'utilisez avec lucidité, car ce n'est pas l'interrogatoire qui est nécessaire, mais bel et bien l'amélioration de votre communication et de la qualité de vos échanges.

6. LE PROCESSUS DE LA COMMUNICATION

La communication est l'ensemble des processus physiques et psychologiques par lequel s'effectue l'opération de mise en relation des interlocuteurs en vue d'atteindre certains objectifs.

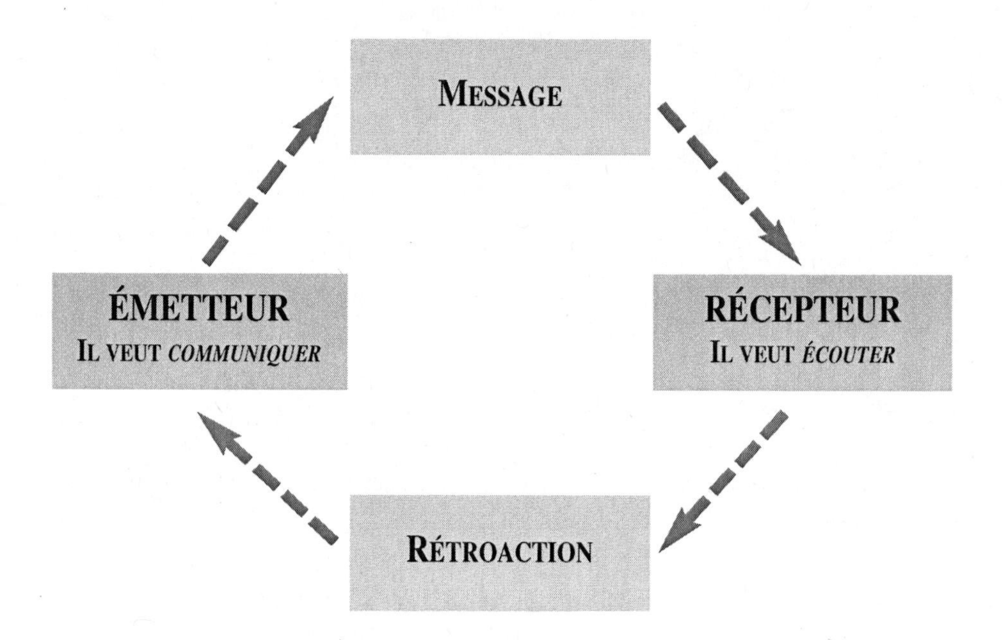

Avoir conscience de cela dans toute forme de communication, c'est prévenir l'anxiété relationnelle.

Selon ce schéma :

- quand une personne se comporte d'une certaine manière (comportement extérieur),
- une réaction en chaîne se produit en vous (réponse intérieure),
- vous conduisant à répondre d'une certaine façon à l'autre personne (comportement extérieur),
- ce qui entraîne une réaction en chaîne chez l'autre personne (réponse intérieure), et ainsi de suite,

- la communication est donc un processus circulaire et continu.

UN MODÈLE DE COMMUNICATION

D'une manière générale, la structure d'une communication peut être caractérisée par les étapes suivantes :

1. Commencez par des questions ouvertes afin d'obtenir de l'information.
2. Poursuivez la conversation à l'aide de questions précises afin d'obtenir des détails.
3. Résumez afin de vérifier votre compréhension à l'aide de récapitulations, de questions de confirmation. Il s'agit de reformuler ce que vous avez compris d'une manière différente pour inviter l'autre à vous écouter et à apporter des nuances et des précisions.
4. Il existe différentes façons de reformuler ce que vous avez compris :
   - Reprendre simplement avec des termes similaires le message de l'autre.
   - Résumer en rajoutant des clarifications.
   - Reformuler en incluant le message sous-jacent, implicite.
   - Faire écho en reprenant ce qui est dit sur un ton interrogatif.
5. Donner une rétroaction. C'est un moment pendant lequel on échange mutuellement ce que l'on perçoit de l'autre, ses impressions, ses ressentis.

LES CLÉS D'UNE BONNE RÉTROACTION (*FEEDBACK*)

Il existe deux types de rétroaction, celle que nous recevons et qui nous permet de nous voir comme les autres nous perçoivent et celle que nous donnons afin de communiquer notre appréciation et des suggestions, des améliorations.

Une rétroaction efficace se caractérise par :

- l'expression directe de ses sentiments, en s'exprimant au « je » ;
- la description, uniquement, de ce qui a été observé ;
- un constat exempt de jugement de valeur, d'évaluation ;
- sa spécificité : elle ne fait référence qu'à une situation précise ;
- le fait de laisser à l'autre le droit de choisir. En ce sens, la rétroaction n'impose pas un changement ;
- le fait qu'elle est exprimée à la suite de la conversation, immédiatement après un événement qui est plus frais dans la mémoire ;
- le fait qu'elle s'applique à un comportement qui peut être modifié, changé.

Amusez-vous à donner une rétroaction à la fin de vos conversations. Vous découvrirez les avantages qu'elle peut procurer dans vos relations en améliorant celles-ci tout en renforçant leur qualité. Bien sûr, vous pouvez demander à l'autre d'en faire autant en lui posant une question ouverte sur ce qu'il pense de vous ou comment il a trouvé cet échange.

7. SAVOIR ÉCOUTER

Le commencement de bien vivre,
c'est de bien écouter.
Plutarque

Nous sommes nombreux à parler plutôt qu'à écouter. Les comportements que l'on retrouve fréquemment et qui limitent une communication efficace sont :

- Couper la parole à son interlocuteur alors que celui-ci n'a pas achevé sa phrase ou son idée.
- Monopoliser la conversation.

- Vouloir avoir toujours raison et imposer son point de vue.
- Manipuler.

Les avantages à écouter d'abord une personne sont :

- La collecte des meilleures informations et de plus d'opinions pour favoriser une conversation enrichissante.
- Le respect de l'amour-propre d'autrui. Dévaloriser, ignorer son interlocuteur ne peut pas engendrer une communication adéquate, à moins que ce soit le but de la conversation.
- L'économie de temps.
- Une meilleure confiance et davantage de respect de la part de votre auditoire.
- La création et le maintien du contact avec vos interlocuteurs.
- L'accroissement et l'enrichissement de la communication en posant des questions ouvertes puis en écoutant la réponse, sans parler.
- La clarification et la consolidation de la communication.
- La reformulation de propos émis et l'utilisation de questions fermées pour préciser les idées.

De l'écoute à l'écoute empathique

Écouter avec empathie signifie que vous êtes capable de vous mettre à la place de l'autre et de ressentir ce qu'il ressent. Développer cette forme d'écoute vous sera très utile lorsque vous écouterez vos pensées et les scénarios que l'anxiété évoque en vous pour mieux la comprendre. Pour y parvenir, voici quelques éléments afin de développer votre capacité d'empathie :

- Saisissez l'idée exprimée. Quel est le message de votre interlocuteur ?

- Quels sont le point de vue et les valeurs de l'autre ? En d'autres termes, quels sont les règles et les principes importants aux yeux de votre interlocuteur ? S'agit-il du respect, de la justice, de l'honnêteté, de l'argent ?
- Mettez de côté votre point de vue.
- Écoutez attentivement et concentrez-vous sur l'autre.
- Évitez les distractions extérieures et intérieures (n'écoutez pas vos pensées pendant que vous écoutez l'autre).
- Observez votre interlocuteur, son langage non verbal, pour rester sur la même longueur d'onde.
- Exprimez votre attitude empathique (reformulations, questions, marques d'attention, de compréhension, etc.).
- Utilisez des questions d'ouverture de conversation, d'élargissement, de précision, de confiance et de confirmation pour créer un climat d'intimité, de complicité.
- Évitez les reproches orientés vers la critique, la réprimande, les provocations, les remises en question de compétences et les insinuations.

Soyez vigilant quant à votre attitude dans toute communication et exercez l'écoute empathique en testant dans votre vie les principes ci-dessus. Une fois votre capacité d'écoute empathique développée, vous serez en mesure de l'intégrer dans un modèle général de communication qui vous permettra de discuter dans un cadre favorable.

8. COMMENT GÉRER LES CONFLITS ?

Nous cherchons toujours à jeter un pont entre ce qui est et
ce qui devrait être ; et par là, donnons naissance à
un état de contradiction et de conflit d'où
se perdent toutes les énergies.
Jiddu Krishnamurti

D'un point de vue relationnel, deux personnes entrent en conflit lorsque l'une d'elles, ou les deux, vit des frustrations. Ces frustrations se forment à la suite de besoins qui ne sont pas satisfaits et, très souvent, qui ne sont pas exprimés. Un conflit ne naît donc pas comme cela, du jour au lendemain, mais plutôt progressivement. Il peut très bien aussi venir du passé et profiter de la similitude de la situation présente avec une autre que vous avez déjà vécue pour refaire surface.

C'est l'image de la goutte d'eau qui fait déborder le vase. Et le jour où les limites sont atteintes, le conflit commence et la colère s'exprime. Il existe alors différentes dynamiques relationnelles et le plus important pour tenter de sortir du cercle vicieux du conflit est de prendre conscience de votre attitude pour parvenir à trouver un terrain d'entente et des solutions.

Les différentes attitudes dans un conflit

Lorsque deux personnes sont en conflit, on peut faire face à des comportements variés qui, s'ils sont identifiés, peuvent engendrer des solutions.

Rivalité

Comportement très fort en affirmation, mais très faible en coopération par lequel on poursuit ses propres intérêts aux dépens des autres. Cette attitude est utile pour maîtriser la situation ou l'autre, pour avoir raison et pour faire face à des situations déplaisantes.

Évitement

Comportement très faible en affirmation et en coopération par lequel on préfère fuir le conflit, cherchant à s'occuper ni de ses champs d'intérêt ni de ceux de l'autre. Cette attitude est utile dans des contextes où le conflit est sans importance, quand on n'a pas de possibilités de réussir, lorsque les inconvénients sont supérieurs aux avantages.

Collaboration

Comportement très fort en affirmation et en coopération par lequel on tente de réaliser les buts et de combler les champs d'intérêt des deux personnes. C'est la base de la relation gagnant-gagnant. Chacun des deux camps est important et il est essentiel que tout le monde soit satisfait.

Compromis

Il s'agit d'un comportement intermédiaire en affirmation et en coopération par lequel on recherche toute solution acceptable, même si elle n'est que partiellement satisfaisante. Cette attitude est utile pour trouver une solution rapidement, sans efforts supplémentaires à fournir. On la trouve surtout dans des contextes où aucun des deux camps n'est plus important que l'autre.

Avoir conscience de son attitude

Voici quelques pistes pour devenir conscient de votre attitude :

1. Derrière chaque comportement se cache une intention positive. Cela signifie que même si la personne s'y prend mal et vous blesse, elle tente avant tout de vous transmettre un message, et ce, du mieux qu'elle peut !
2. Il vous appartient donc d'écouter l'autre en vous détachant le plus possible pour conserver un maximum de contrôle.
3. Un bon moyen est d'imaginer que vous êtes dans ses souliers, à sa place, pour mieux comprendre comment votre interlocuteur vit et perçoit une situation donnée.
4. Reformulez alors ce que vous avez entendu et compris et si ce n'est pas clair, posez des questions pour éclaircir les zones obscures.

INTERDICTION DE RÉPLIQUER !

5. Alors, seulement, vous pouvez exprimer votre point de vue, en utilisant le « je » et en parlant de votre ressenti (voir « La négociation » et « Exprimer ses frustrations et ses besoins sans violence »).

6. Orientez ensuite la discussion vers une recherche de solutions :

   - Si vous êtes prêt à faire des compromis ou un effort sur un point précis, dites-le.
   - Posez une question orientant la conversation vers une recherche de solution de manière à susciter une collaboration : « Que pouvons-nous faire pour régler cela ? Y a-t-il quelque chose que vous aimeriez que je fasse ? »
   - Si la tension est trop présente, proposez de remettre la recherche de solution à plus tard plutôt que de persister maintenant.

Il est parfois préférable de laisser la pression diminuer et de définir ensemble un moment où l'on poursuivra la conversation.

La négociation

Lorsque vous avez à gérer des objections ou à exprimer des points de vue différents, le faire directement peut augmenter la résistance de votre interlocuteur.

Au lieu de contredire celui-ci par des arguments (même s'ils sont valables) qu'il n'écoutera probablement pas, il existe une méthode qui facilitera la reprise du dialogue pour arriver à une entente.

Lorsque votre interlocuteur vous apporte une objection ou un argument, vous choisissez un point d'accord relativement mince (1 %), puis vous l'appuyez avec 100 % d'enthousiasme et d'authenticité.

Cette méthode est simple, efficace et honnête.

Si aucun accord n'est possible avec votre interlocuteur, vous pouvez dire en toute franchise : « Je comprends, je respecte votre opinion », et ce, tout en adaptant votre ton de voix, l'expression de votre visage et le choix de vos mots.

Votre interlocuteur aura l'impression d'être compris, respecté et soutenu. Le climat de votre conversation n'en sera qu'amélioré.

Il est absolument important de bannir les expressions « oui, mais », « par contre », « sauf que » de votre vocabulaire.

Exemple de stratégie à poursuivre

Voici les étapes d'une stratégie à poursuivre :

1. Écoutez votre interlocuteur avec respect et empathie.
2. Synchronisez-vous avec sa posture, ses gestes, son type de mots, etc.
3. Saisissez le 1 % et reflétez-le en utilisant des structures du style :
   - C'est vrai que…
   - Je comprends que…
   - Je constate que…
   - De cet angle, je comprends que vous…
   - Si je me mets à votre place…
4. Observez le changement chez votre interlocuteur.
5. Et présentez votre point de vue.

Vous pouvez à ce moment précis utiliser des adverbes, des mots de liaison qui vous aideront à passer votre idée sans provoquer de résistances ou élever des barrières chez votre interlocuteur comme *si*, *par ailleurs*, *cependant*, *bien entendu*.

Ainsi, vos chances sont grandement améliorées pour exprimer vos arguments.

9. LA COLÈRE

Lorsque donc quelqu'un te met en colère, sache que c'est ton jugement qui te met en colère.
Épictète

La colère sert à mobiliser votre énergie et amplifie l'impact de vos actes sur le monde extérieur. Le plus souvent, elle suscite le jugement, car la colère est confondue avec la violence à laquelle on l'associe, à tort.

Pourtant, derrière des comportements colériques se cache une intention positive. Ce qui dérange est surtout la manière dont la colère s'exprime. Transformer votre colère consiste à vous ouvrir à elle, à la reconnaître pour ce qu'elle est sans lui laisser prendre le contrôle de vos actes et de vos paroles, à l'explorer et à l'aimer.

La colère est avant tout une émotion. Ni bonne ni mauvaise, elle est le résultat d'une expérience et de son impact dans votre vie. Elle peut se manifester pour différentes raisons. Si vous la canalisez de manière créative, elle sera une force constructive servant de levier au changement et à l'épanouissement de vous-même. Par contre, si vous lui résistez, en vous disant que c'est mal, que ce n'est pas digne de vous, alors elle se retrouvera enfouie à l'intérieur de vous et continuera à mijoter, parfois pendant un certain temps, jusqu'à ce que la goutte d'eau fasse déborder le vase. Cela dit, la colère peut servir à :

- communiquer,
- se faire respecter,
- s'affirmer,
- obtenir ce que l'on veut,

- embêter l'autre, lui faire mal,
- sublimer sa tristesse, ne pas entrer en contact avec sa peine,
- bien d'autres choses encore…

La colère refoulée a besoin tôt ou tard d'être exprimée. Si vous l'en empêchez, elle se déguisera et empruntera, par exemple, le costume de l'anxiété, de la dépression, de la violence, de la rage au volant, de la culpabilité, de l'irritabilité, de la dépendance à l'alcool, aux drogues. Pour vous libérer de la colère et la laisser s'exprimer, les ingrédients suivants peuvent être utiles :

- Acceptez le passé (dont vous ne pouvez changer que votre perception).
- Trouvez un exutoire, une réalisation, un projet dans lequel mettre votre énergie pour en retirer du plaisir.
- Évacuez votre agressivité en faisant du sport, en pleurant, en frappant dans un oreiller, en écrivant une lettre que vous brûlerez ensuite, etc.
- Pardonnez ce que vous estimez qui doit l'être et pardonnez-vous à vous-même.
- Faites-vous masser.
- Réalisez une visualisation de votre colère pour l'explorer symboliquement, la transformer.
- Effectuez un acte réparateur pour consoler votre enfant intérieur qui n'a pu grandir et qui reste bloqué, par manque d'amour, dans la colère, la peine et la tristesse, en visualisant, par exemple, l'enfant en vous qui pleure, qui est blessé et que vous réconfortez.
- Remplacez la colère par d'autres comportements permettant de conserver les mêmes avantages, mais sans les inconvénients.

La colère n'appartient pas à la raison. Il est donc inutile dans un premier temps de chercher à la rationaliser ou à l'intellectualiser. Permettez-vous d'en faire l'expérience et de la vivre. Peu importe ce que vous faites, ce qui compte, c'est que vous soyez animé du désir de la libérer et non de nuire à autrui. Parfois, il peut être bénéfique de l'exprimer à la personne concernée en lui partageant ce que vous avez ressenti, par rapport à un fait, à un acte, mais sans attaquer ni juger. Par exemple, vous pourrez dire: «Je me sens très en colère et triste quand tu me dis que je suis un bon à rien» au lieu de dire: «Tu me fais*@+% de toujours me rabaisser et m'écraser, tu ferais mieux de te regarder, tu vaux encore moins que moi!» Lorsque vous exprimez votre colère, assurez-vous d'avoir pour objectif de trouver une manière de communiquer plus agréable et non de mettre votre interlocuteur sur la défensive. Gardez présent à l'esprit que l'on apprend tous les jours, en communication comme ailleurs. La maladresse et les erreurs font partie intégrante de l'apprentissage.

D'une manière générale, il existe deux façons de gérer la colère. La première comprend les gens qui expriment leur colère. Ceux qui expriment leur colère sont souvent hors de contrôle, c'est plus fort qu'eux, ou ils sont dans le jugement, le rejet, la culpabilité.

Ces personnes devraient:

- développer une manière de se dissocier de la situation, c'est-à-dire de prendre du recul pour diminuer l'intensité de leurs émotions;
- par exemple, quitter le lieu du conflit et la personne impliquée, tourner leur langue sept fois dans leur bouche avant de prendre la parole, s'imposer des cinq minutes de réflexion, etc. (À vous de trouver ce qui fonctionne pour vous!);
- chercher l'intention positive qui se trouve en arrière de la colère. Est-ce le désir d'être respecté?
- utiliser la première personne du singulier au lieu de la deuxième.

La deuxième façon de gérer la colère comprend les gens qui ne l'expriment pas. Les gens qui n'expriment pas la colère peuvent ne pas la ressentir, l'ignorer et trouver un autre chemin en se disant que c'est leur faute, en devenant tristes, hyperactifs, en refoulant (somatisations), en fuyant, etc.

Ces personnes devraient:

- s'associer à la situation en évoquant le conflit au «je»;
- exprimer avec compassion leur colère en évoquant les faits.

Exprimer ses frustrations et ses besoins sans violence

Des milliers d'années d'évolution ont permis au cerveau humain de graver des comportements reptiliens qui, par rapport à une attaque, mènent à réagir instinctivement, le plus souvent soit par un combat soit par une fuite.

Pourtant, il existe une autre manière de faire face à un conflit, grâce à une communication efficace qui aide à faire passer le message sans que l'interlocuteur se sente attaqué et en lui inspirant du respect ainsi que l'envie de nous aider.

En voici les principes:

1. Remplacez tout jugement, toute critique, par une observation objective, un fait qui ne peut être remis en question. Au lieu de dire «tu es encore en retard, tu n'es qu'un égoïste», dites «il est neuf heures, tu avais dit que tu serais là à huit heures, c'est la deuxième fois cette semaine, je me sens seule et je m'ennuie quand je t'attends».
2. Le deuxième principe est d'éviter tout jugement de l'autre en vous concentrant sur ce que vous ressentez. C'est la clé absolue de la communication efficace, car si je parle de ce que je ressens, cela m'appartient et personne ne peut contredire ce que j'avance. Par exemple, si je dis «tu as encore oublié de sortir les poubelles, tu n'es qu'un bon à rien», l'autre ne peut

que contester ce que j'avance. Par contre, si je dis « c'est la quatrième fois que tu oublies de sortir les poubelles alors que je te l'ai demandé, je me sens frustré et j'ai le sentiment de ne pas être aidé dans les tâches quotidiennes », mon interlocuteur ne pourra remettre en question mes sentiments, car ils m'appartiennent. Donc, utilisez le « je » au lieu du « tu » afin que l'autre ne se sente pas agressé.

3. Le troisième principe consiste à renforcer le précédent en faisant part aussi à votre interlocuteur de vos espoirs et désillusions. Ainsi, je pourrais dire « il est neuf heures, tu avais dit que tu serais là à huit heures, c'est la deuxième fois cette semaine, quand tu arrives en retard, je ne me sens pas respecté et j'ai l'impression de ne pas beaucoup compter pour toi. Cela me fait mal et je me sens triste ».

Pour obtenir une meilleure communication, ajoutez à ces trois principes d'autres ingrédients favorisant une communication et une écoute mutuelle :

- Ne discutez pas lorsque les émotions sont trop vives, il est préférable de prendre du recul et une fois le calme retrouvé, vous pouvez choisir un moment pour parler.
- Assurez-vous d'être dans un endroit approprié pour vous exprimer librement et tranquillement. Pourquoi ne pas profiter d'une ambiance particulière, d'une promenade ?
- Vérifiez aussi que votre interlocuteur est disponible pour vous écouter et parler avec vous. Si celui-ci est trop fatigué, par exemple, il sera moins patient et plus sujet à s'énerver.
- Pour amorcer la conversation, appelez la personne par son nom puis dites quelque chose d'aimable (voir la section « La négociation »), à condition que ce soit vrai. Ce n'est pas toujours facile au début, mais essayez et vous verrez !

Utiliser la colère

Enfant, vous avez donné un sens à cette émotion. Depuis, vous la jugez sévèrement. La relation ainsi établie avec la colère est aujourd'hui à transformer, parce que votre vision vous nuit. En d'autres termes, c'est votre relation avec la colère qui est un problème, et non la colère elle-même !

La colère est une alliée. Elle n'est rien d'autre qu'une indication que nos croyances ou nos valeurs (c'est-à-dire ce qui est important pour nous) ne sont pas respectées. Nous percevons cela alors comme une agression et nous éprouvons le besoin de nous défendre. Aussi, ce qui est mal perçu ou ce qui suscite le jugement n'est pas tant la colère que la manière dont nous exprimons celle-ci.

Pourtant, ce qui est important pour vous ne l'est pas forcément pour l'autre. Votre colère est donc porteuse d'un message. La refouler est donc inutile tant que celui-ci demeure incompris et renié. Identifiez le message et vous saurez gérer le conflit.

Apprendre à gérer un conflit

Le but est de trouver l'attitude la plus juste pour vous et pour les autres et ensuite, de l'expérimenter dans une situation difficile.

Méthode

A est le narrateur du conflit
B est le cobaye
C est l'observateur

A raconte à B une expérience de conflit dans laquelle il n'a pu accéder à ses ressources, garder son calme ou dont il conserve un mauvais souvenir.

B écoute avec attention et pose éventuellement des questions pour avoir des précisions et le ressenti de A.

C, un peu en retrait, prend des notes sur ce qu'il observe (posture générale, timbre de voix, etc.).

A et B se mettent en situation et imaginent que l'un et l'autre sont en conflit en tenant compte des renseignements obtenus sur le contexte. B fait en sorte que la tension monte.

C observe ce qui se passe et prend des notes sur ce qui est dit et les réactions que cela provoque.

Avant de devenir spectateur d'un combat de boxe, C arrête le conflit.

A et B se remettent en situation, mais cette fois-ci, ils adoptent une attitude tendant vers la résolution du conflit.

C observe et note les différences.

C fait part des changements qu'il a observés à A et B.

Pour conclure, A, B et C partagent leurs ressentis, observations, etc.

MÉTHODE D'URGENCE

1. ARRÊTER

- Il est important de se donner du temps, d'observer, d'écouter, de garder le silence pour bien comprendre.
- Il faut chercher mentalement l'intention positive en arrière du comportement.

2. RÉFLÉCHIR

- Il faut établir une relation gagnant-gagnant en reformulant ce que l'on a compris (« si j'ai bien compris ce que tu me dis » – voir section « la négociation »), en approfondissant les motivations (croyances, valeurs).

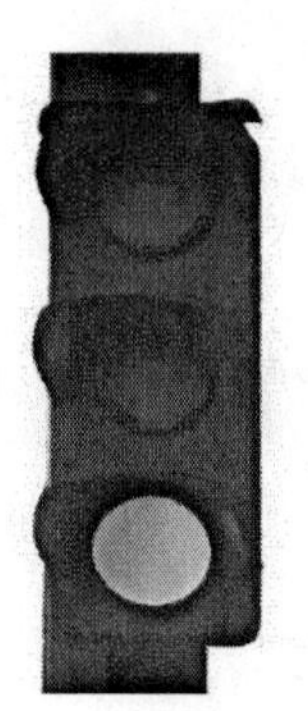

3. PASSER À L'ACTION

Recherche de solutions :

- « De quoi as-tu besoin ? »
- « Qu'attends-tu de moi ? »
- Exprimer les points sur lesquels on peut faire quelque chose.
- « Comment satisfaire les motivations de chacun ? »

Dans cette optique, il semble évident que tout ce qui a été abordé au sujet du langage verbal et non verbal, des différents indices observables, du modèle de communication dégagé, de l'écoute empathique ainsi que des obstacles possibles s'applique d'abord et avant tout sur soi-même.

Observez-vous lorsque vous communiquez. Profitez de votre acuité sensorielle pour regarder votre langage verbal et non verbal afin de prendre conscience de ce qui se produit en vous qui suscite les comportements que vous adoptez lorsque vous communiquez.

La véritable sécurité vient de l'intérieur de vous et se manifeste ensuite à l'extérieur de vous. Et c'est seulement dans cet état de sécurité intérieure que vous serez en mesure de faire face aux situations plus délicates de la vie, avec une meilleure maîtrise de vous-même, en conservant plus facilement votre sang-froid.

L'anxiété que vous vivez à l'intérieur de vous se manifeste à l'extérieur par vos pensées et vos émotions, de sorte que vos actions et votre attitude en sont affectées. Cela se répercute dans de nombreux domaines de votre vie et peut engendrer des conflits inconfortables dans votre travail, dans votre couple, avec vos amis, votre famille, dans vos relations en général. Mais, la bonne nouvelle, c'est que la bonne humeur se répercute tout autant de façon positive dans vos relations. Alors, soyez zen !

Quatrième partie

L'anxiété et les médicaments

Les hamsters ne connaissent pas leur bonheur.

Ils bénéficient de nouveaux médicaments

aux effets miraculeux, cinq années avant les hommes.

Philippe Bouvard

Les troubles anxieux ont nui à un nombre croissant d'individus au cours des dernières années. Ils nuisent de manière significative au fonctionnement quotidien de ceux qui en souffrent, notamment au sein des relations interpersonnelles dans les cas d'anxiété sociale. Les comportements qui en résultent sont souvent la fuite, l'évitement, la détresse dans le couple, les états émotionnels désagréables et les demandes de sécurité parfois difficiles à satisfaire.

Au Québec, une étude menée par Statistique Canada révèle qu'en 2006, 1040000 Canadiens (soit 3,2 %) souffraient d'une phobie sociale, 480000 Canadiens (soit 1,5 %), d'un trouble panique, et 227000 Canadiens (soit 0,7 %), d'agoraphobie. Il s'agit là d'une estimation incomplète des troubles d'anxiété au sein de la population canadienne, puisqu'elle ne tient pas compte d'autres affections comme le trouble d'anxiété généralisé, le trouble obsessionnel compulsif, le trouble de stress post-traumatique et la phobie spécifique. Souvent, l'obtention d'un traitement adéquat et d'information pertinente sur les troubles anxieux pour adultes et pour enfants constitue un véritable combat. Voici quelques informations concernant les traitements anxiolytiques offerts.

1. LE TRAITEMENT DE L'ANXIÉTÉ PAR LES ANXIOLYTIQUES

Les anxiolytiques sont des médicaments utilisés contre l'anxiété. Il existe différentes classes de molécules anxiolytiques que l'on peut diviser en deux grandes catégories : les benzodiazépines et les non-benzodiazépines. Parmi ces derniers, pour arriver à contrer l'anxiété, on retrouve plusieurs familles de médicaments (antihistaminique, carbamate, etifoxine, buspirone, captodiame).

Les antihistaminiques, utilisés en cas d'allergies, causent une somnolence qui peut être utilisée pour calmer les gens, surtout avant qu'ils se couchent, afin de les détendre. Certains antidépresseurs, de l'ancienne génération, que l'on appelait les tricycliques, avaient beaucoup d'effets secondaires et sont maintenant utilisés à faible dose pour favoriser le sommeil. L'action principale des médicaments tricycliques est de favoriser l'augmentation des neurotransmetteurs excitateurs (noradrénaline). Le cerveau se trouve alors davantage stimulé, ce qui provoque une diminution de la dépression et une amélioration du sommeil.

Les anxiolytiques plus fréquents vont se ranger sous d'autres bannières, dont les benzodiazépines, que l'on abordera plus loin.

Plusieurs antidépresseurs modernes (non tricycliques) sont parfois utilisés pour diminuer l'anxiété. Cette nouvelle famille d'antidépresseurs s'appelle les ISRS, c'est-à-dire les inhibiteurs sélectifs du recaptage de la sérotonine. Ils se divisent en deux catégories, soit les antidépressuers agissant essentiellement sur la sérotonine et les médicaments à double action. Les neuroleptiques constituent une troisième catégorie d'ISRS beaucoup moins employés.

Les antidépresseurs agissant essentiellement sur la sérotonine

Ce sont des substances qui n'ajoutent rien à l'organisme, mais qui évitent que celui-ci ne détruise la sérotonine produite naturellement par le corps pour faire face à l'anxiété ou à la dépression. La nature voulant que l'individu soit prêt à faire face à des dangers, elle détruit la sérotonine aussitôt que tout danger a disparu pour que la personne soit de nouveau alerte.

Donc, les antidépresseurs ISRS empêchent la nature de faire son travail, ce qui permet à l'organisme de préserver encore la sérotonine pour lutter contre la dépression et l'anxiété. On trouve dans cette catégorie, essentiellement, le Prozac (fluoxétine), le Luvox (fluvoxamine), le Zoloft (sertraline) et le Paxil (paroxétine), l'un des plus puissants médicaments reconnus contre l'anxiété; efficace aussi en cas de troubles post-traumatiques. Il est à noter aussi que seuls ces quatre médicaments ont été reconnus pour traiter les troubles obsessifs compulsifs qui peuvent être extrêmement incapacitants.

On a aussi comme ISRS agissant sur la sérotonine le Celexa (citalopram), considéré selon certaines études comme pouvant agir sur les troubles obsessifs compulsifs et ayant peu d'effets secondaires, mais nécessitant parfois des doses élevées pour faire son action anxiolytique.

Les médicaments à double action

Il s'agit d'antidépresseurs à double action. Au début, les chercheurs et praticiens étaient satisfaits d'avoir trouvé une médication qui ne touche pas à l'adrénaline et qui, par conséquent, n'a pas de capacité excitante. Mais, la publicité a poussé les médicaments à double action, qui agissent non seulement sur la sérotonine mais qui augmentent aussi l'adrénaline circulante, sur le plan des neurones. Ces médicaments sont parfois utilisés à tort par les médecins comme des médicaments antianxieux, tel l'Effexor (venlafaxine), qui peuvent agir comme excitants et augmenter l'anxiété. Il est reconnu uniquement pour l'anxiété généralisée. Dans ce cas, où la personne a peur de tout, l'Effexor peut procurer un peu de courage, par son action sur l'adrénaline.

La plupart des antidépresseurs qui ont des effets activateurs ne sont pas recommandés pour des gens anxieux. On trouve parmi eux, par exemple, le Réméron (mirtazapine) et le Wellbutrin (buproprion).

Les neuroleptiques

On peut aussi utiliser les neuroleptiques comme anxiolytiques, bien qu'ils soient moins souvent employés, car leurs effets sont plus lourds et leur efficacité n'est pas toujours démontrée. Le plus souvent, on les administre par voie orale. Parfois, en cas d'urgence, l'injection sera utilisée.

Il existe plusieurs formes d'anxiété, par exemple des personnes vivant des tensions normales par rapport au stress de la vie et qui peuvent les combattre assez facilement par toutes sortes de techniques.

En revanche, la crise de panique, beaucoup plus intense, et qui fait penser à une crise cardiaque, peut être allégée par une médication s'il n'y a pas d'autres moyens. On trouve aussi les stress post-traumatiques, souvent en lien avec des sévices physiques ou sexuels durant l'enfance. La recherche montre que les personnes qui ont tellement lutté contre ces stress intenses, dont la personnalité n'était pas encore formée totalement, possèdent un des lobes du cerveau moins développé. L'hippocampe, qui est responsable de contrôler les émotions, a beaucoup moins de cellules, selon certaines études, chez des femmes ayant souffert de troubles post-traumatiques que chez des femmes dites normales. La plupart du temps, ces personnes souffrent de troubles « dissociatifs », parfois difficilement diagnostiqués par la médecine générale.

L'état de ces personnes peut être aggravé par les antidépresseurs à double action, mais aussi par les benzodiazépines. Elles bénéficient énormément de médications de neuroleptiques à faible dose.

Les anxiolytiques benzodiazépines

Les benzodiazépines sont les anxiolytiques les plus couramment utilisés. Leur action réduit la communication entre certaines cellules nerveuses, ce qui diminue l'anxiété, améliore le sommeil et relaxe les muscles. Ils ont un effet presque immédiat. Parmi ceux-ci, on retrouve notamment :

- l'Ativan (lorazépam),
- le Xanax (alprazolam),
- le Librium (chlordiazepoxide),
- le Serax (oxazepam),
- le Rivotril ou Klonopin (clonazépam),
- le Restoril (témazépam),

- le Tranxene (clorazépate),
- le Lexomil ou Lectopam (bromazépam),
- le Lysanxia (prazépam).

Les benzodiazépines créent une accoutumance (une même dose est de moins en moins efficace), une dépendance et un risque d'abus. En cas d'accoutumance, la dose doit être augmentée pour prévenir l'anxiété, ce qui amplifie la dépendance.

Les benzodiazépines peuvent avoir plusieurs effets secondaires. Le plus répandu est la somnolence pendant la journée. Ils peuvent aussi causer des étourdissements, de la fatigue, une vision brouillée, des pertes de mémoire, une diminution de la concentration, de la confusion, de l'irritabilité, une faiblesse musculaire, etc.

Pour ces raisons, ils sont habituellement prescrits avec un accompagnement médical pour une courte période ou pour une utilisation ponctuelle. Il faut noter que les benzodiazépines ont un effet stimulant plus prononcé chez les personnes consommant de la drogue ou de l'alcool de manière exagérée. Contrairement aux antidépresseurs, il n'est pas nécessaire de les prendre tous les jours pour qu'ils soient efficaces. Quoi qu'il en soit, vous comprendrez que pour toute question ou pour tout changement de posologie, il est important de consulter un médecin traitant. Pour résumer, ce type de médicaments règle l'anxiété à court terme, mais cause des effets négatifs à long terme.

Sevrage

Plus un médicament a été pris longtemps et à forte dose, plus les symptômes de sevrage peuvent être sévères. Diminuer graduellement la dose aiderait environ 60 % des gens à faire le sevrage.

Les symptômes de sevrage peuvent être très importants, même chez les gens qui ont pris ces médicaments pour une période aussi courte que quatre semaines. Ils peuvent se développer dans les heures ou les jours qui suivent l'arrêt. Ils incluent les difficultés de sommeil, l'anxiété, les problèmes d'estomac et la transpiration. Ils peuvent durer d'une à trois semaines, le temps que votre organisme retrouve son homéostasie, c'est-à-dire son équilibre naturel.

Les anxiolytiques non benzodiazépines

L'anxiolytique non benzodiazépine agit sur des neurotransmetteurs qui influencent l'humeur (la dopamine et la sérotonine). Comparativement aux benzodiazépines, il agit plus lentement et prend de deux à trois semaines à faire effet, alors que les benzodiazépines ont un effet presque immédiat. Il a moins d'effets secondaires que les benzodiazépines et ne crée pas de dépendance.

Il est moins sédatif que les benzodiazépines. Il crée ainsi moins de risques de chutes chez les gens âgés ou de risques pour la conduite automobile et le fonctionnement de machinerie lourde. Il peut aussi être mieux indiqué pour les gens ayant une histoire d'abus de drogue ou d'alcool. Certains experts considèrent qu'il peut être utile pour les enfants et les adolescents. Les effets secondaires incluent les étourdissements, la somnolence et les nausées.

Parmi eux, on retrouve la Covatine (captodiame) et le Stresam (etifoxine) qui sont particulièrement indiqués pour les manifestations psychosomatiques de l'anxiété. L'Atarax (hydroxyzine) est un anxiolytique de la famille des antihistaminiques. Il a un effet sédatif et une activité sur les manifestations mineures de l'anxiété.

Les risques

Un risque partagé par nombre de ces produits est l'augmentation de leurs effets s'ils sont associés à l'alcool. Les interactions avec les autres médicaments sont nombreuses (antihistaminiques, contraceptifs oraux et autres). Ils ne doivent pas être pris pendant la grossesse ou l'allaitement, comme le Lithium, utilisé pour stabiliser l'humeur. Il convient de tenir compte qu'une mère anxieuse ou déprimée fabrique des hormones de stress anormales qui nuiront au fœtus. Parfois, il convient de décider de laisser la mère anxieuse et déprimée ou de prendre un risque minimum avec des antidépresseurs IRSR.

En ce qui concerne la somnolence, selon le docteur Édouard Beltrami, malgré ce que les dépliants pharmaceutiques peuvent indiquer, les antidépresseurs IRSR et neuroleptiques ne nuisent pas vraiment sérieusement à l'individu, sauf si l'alcool a été pris à forte dose ou si le médicament n'est pas pris selon la posologie appropriée.

Le danger est beaucoup plus important sur le plan des benzodiazépines qui ont un effet très près de celui de l'alcool.

Les benzodiazépines, bien que peu toxiques si les règles de prescription sont respectées, peuvent provoquer une dépendance, voire une véritable toxicomanie. Leur utilisation doit être particulièrement surveillée chez les anciens toxicomanes. Parfois, la prescription de certains antidépresseurs est possible, notamment en cas d'anxiété généralisée.

En conclusion, à moins que vous ne souffriez de stress post-traumatique venant de l'enfance, diagnostiqué clairement et qui mérite une médication particulière de type neuroleptique et à plus long terme, et quelles que soient les caractéristiques de votre anxiété, gardez en tête que lorsque cet état est durable, il ne peut être traité correctement uniquement par des anxiolytiques. Ceux-ci ne font finalement qu'atténuer ou camoufler les manifestations de vos symptômes, sans agir sur ce qui produit l'anxiété dans votre vie. Aussi, il est préférable de rechercher une autre solution comme la psychothérapie, la relaxation, la phytothérapie, l'alimentation, le mode de vie, etc. Certaines de ces solutions étant, bien entendu, complémentaires à la médication.

Vous avez sûrement entendu des gens autour de vous ou peut-être vous a-t-on dit, un jour, que l'anxiété ne se guérit pas, que c'est une maladie chronique qui exige une médication à vie.

Un tel diagnostic venant d'un professionnel de la santé a, en tout premier lieu, pour résultat de condamner la personne et de lui coller une étiquette touchant à son image d'elle-même. Loin de moi l'idée de ne pas faire preuve de réalisme, bien au contraire, mais comment peut-on encourager une personne à se prendre en main, à se donner des moyens de se responsabiliser, en posant un verdict aussi catégorique ?

La médication n'est pas une solution en elle-même dans le sens où elle camoufle les symptômes, mais n'explore pas les sources de l'anxiété. Elle est donc un soutien complémentaire à une démarche de travail personnel. Or, si vous souhaitez réduire votre anxiété au maximum, il peut être fort bénéfique d'explorer cette deuxième voie, ne croyez-vous pas ?

Les effectifs médicaux, paramédicaux et psychosociaux étant de plus en plus rares aujourd'hui, il est évident que l'on a tendance à utiliser la médication, car les intervenants manquent de temps pour effectuer la rééducation et expliquer les techniques naturelles. Néanmoins, des problèmes importants, comme la migraine et les crises d'angoisse sont traitées efficacement par des techniques de relaxation, de méditation, et par la psychothérapie cognitive et comportementale.

Au-delà des remèdes que propose la médecine traditionnelle, il existe aussi certaines solutions, naturelles, connues sous le nom de médecines douces.

2. LE TRAITEMENT DE L'ANXIÉTÉ À L'AIDE DES MÉDECINES DOUCES

La santé est le trésor le plus précieux et le plus facile à perdre ;
C'est cependant le plus mal gardé.
Chauvot de Beauchêne

J'entends par médecines douces tout ce qui vise à soigner l'être humain sans médicaments de synthèse, d'une manière naturelle (naturelle ne voulant pas dire sans danger pour la santé). Ainsi, la phytothérapie, l'homéopathie, la psychothérapie, la massothérapie sont des approches faisant partie de cette catégorie et plus ou moins bien reconnues.

Ce manque de reconnaissance suscite une confusion pour la personne cherchant une solution à ses défis. Bien souvent, l'absence de réglementation au Québec offre la possibilité à nombre de charlatans, notamment en psychothérapie et en *coaching*, d'offrir leurs services sans formation complète, voire sans autres formations qu'un séminaire de trois jours ! Pour éviter ce genre de dérive, en tant que consommateur, il vous appartient donc de faire preuve de lucidité. Renseignez-vous notamment sur le nombre d'années de formation, l'école, le nombre d'années d'expérience et de l'affiliation à un ordre professionnel, gage que ses membres répondent à certaines exigences, de la personne que vous prévoyez consulter. Pour connaître ces renseignements, il vous est tout à fait possible, et même recommandé, de joindre personnellement l'ordre professionnel auquel appartient le professionnel que vous souhaitez rencontrer. Avec son nom et son numéro de licence, vous serez en mesure de vérifier son professionnalisme et de constater si des plaintes ont été déposées pour dénoncer sa pratique.

L'idée n'est pas de devenir paranoïaque, mais bel et bien de privilégier une confiance indispensable à une relation d'aide bénéfique.

Personnellement, je combine psychothérapie avec phytothérapie. Les deux approches, complémentaires, permettent de soulager les symptômes de l'anxiété tout en travaillant en parallèle avec ses sources. Le tout offre des résultats durables et très satisfaisants.

La phytothérapie

La phytothérapie est la plus ancienne forme de médecine dans l'histoire de l'humanité. Elle consiste à soutenir les différents systèmes du corps (immunitaire, digestif, urinaire, osseux, lymphatique, nerveux, etc.) pour favoriser, stimuler, renforcer l'équilibre de l'organisme et la santé.

Au début, certaines civilisations attribuaient aux plantes des vertus thérapeutiques, magiques, ainsi qu'une âme. Aristote, au IVe siècle avant Jésus-Christ, pensait qu'elles avaient une *psyché*. Cette idée sera développée au XIXe siècle par le docteur Bach avec les élixirs floraux dont on parlera plus loin.

Il faudra attendre environ cinq cents ans avant Jésus-Christ pour qu'Hippocrate, « le père de la médecine », affirme que la médecine ne nécessite pas de rituels magiques, rompant ainsi avec le côté mystique. Les siècles suivants assurent les fondements d'un savoir des plantes médicinales.

C'est au XIXe siècle que les laboratoires commencent à synthétiser les principes actifs identifiés dans les plantes dites médicinales pour assurer la fabrication de médicaments. En 1860, les laboratoires synthétisent pour la première fois un extrait du saule blanc, appelé acide salicylique, un précurseur chimique de l'aspirine. À partir de cette date, médecine et phytothérapie empruntent des chemins différents jusqu'à ce que la médecine acquière une notoriété reléguant aux oubliettes, ou presque, la phytothérapie. Or, les plantes sont bien plus que quelques principes actifs isolés. C'est cette complexité qui leur procure l'immense avantage d'agir progressivement, mais plus globalement sur l'organisme et en douceur.

La médecine a donc extrait dans la nature des molécules chimiques qu'elle a identifiées pour les fabriquer synthétiquement. En ce sens, elle n'a rien inventé.

Les plantes médicinales, par les principes actifs qu'elles contiennent, peuvent contribuer à améliorer la santé de chacun, aussi bien sur le plan physique qu'émotionnel, voire spirituel. Mais, de quelles manières pouvons-nous consommer ces alliées de la nature afin d'en retirer les plus grands bénéfices ?

Il convient d'abord d'orienter son choix vers des produits biologiques, qui n'ont pas goûté aux produits chimiques et autres substances du genre, possédant la fâcheuse tendance de détruire les propriétés médicinales des plantes. Ces dernières doivent être conservées à l'abri de la lumière, dans des bocaux de verres opaques, idéalement.

LES REMÈDES NATURELS

Les préparations d'herbes les plus courantes actuellement en vente sur le marché sont les suivantes :

- Plante fraîche

La plante fraîche est idéale, mais elle n'est pas toujours disponible, compte tenu du climat.

- Plante séchée

Elle est efficace pendant un an, parfois deux, une fois récoltée. Lorsque vous en achetez, choisissez-la d'une belle couleur et entière, car les feuilles broyées perdent beaucoup plus vite leurs vertus malgré une odeur agréable.

- Sachet de tisane

Facile à utiliser, la plante en sachet va surtout restituer ses saveurs, mais non ses propriétés. Vous êtes mieux de choisir une plante entière et de l'infuser vous-même à l'aide d'une boule à infuser, par exemple.

- Les capsules

Bien que pratiques, les capsules conservent leur efficacité si elles sont préparées à partir de racines. Sinon, la longévité des herbes est limitée. Buvez un grand verre d'eau quand vous les prenez !

- Comprimés

Ils sont fabriqués à partir d'herbes séchées et pressées. Du coup, leur vitalité n'est pas très stable et il se peut que vous attendiez longtemps avant d'en ressentir les bienfaits.

- Teinture mère

La teinture mère est un concentré liquide obtenu en faisant macérer des plantes fraîches dans de l'alcool, du vinaigre ou de la glycérine. Quelques gouttes de teinture mère sont équivalentes à une tasse de tisane. Ce produit se conserve plusieurs années, de trois à cinq ans, selon la qualité de l'agent de conservation. Une date de péremption est mentionnée sur le flacon.

- Huile essentielle

On l'obtient en distillant les plantes afin d'isoler leurs principes actifs. Il faut savoir comment utiliser l'huile essentielle, car sa forte concentration peut en faire un produit dangereux. Son utilité la plus intéressante est l'aromathérapie, c'est-à-dire la thérapie par les odeurs. On trouve aussi des huiles de plantes (macération de plantes dans l'huile), des onguents (huile de plantes à laquelle on ajoute de la cire d'abeille) et des élixirs floraux.

- Élixirs floraux

Ils s'inscrivent dans la continuité des découvertes du docteur Bach et sont particulièrement intéressants, car ils agissent sur le plan des champs électromagnétiques du corps, donc des émotions et des pensées. La préparation d'un élixir est plus délicate et fait appel à la biodynamique, aux propriétés des minéraux et à l'astronomie. Les élixirs sont très pratiques et efficaces à utiliser, car ils n'ont aucune contre-indication, ce qui en fait un outil complémentaire très précieux pour ceux aux prises avec des états émotionnels intenses. Ils agissent sur le corps par les pensées et les émotions, pouvant ainsi libérer des peurs, du stress accumulé dans l'organisme, soigner les blessures émotionnelles, favorisant la confiance, l'ouverture, la compréhension. Leurs effets sont subtils bien que tangibles et demeurent une expérience peu coûteuse à vivre. Il vous en coûtera une dizaine de dollars pour obtenir un élixir composé d'environ cinq plantes. L'élixir se prend, au besoin, sous forme de gouttes directement déposées sous la langue pendant une minute puis avalées. Les gouttes peuvent être également utilisées dans le bain.

Sachez que l'infusion se prépare avec de l'eau que vous portez juste sous le point d'ébullition. Alors, vous retirez la casserole du feu et vous ajoutez les feuilles et les fleurs. Laissez infuser de cinq à dix minutes et buvez la journée même, chaude ou froide.

Si vous êtes sûr de votre coup, vous pouvez mettre les herbes dans l'eau froide ou tiède et faire chauffer ainsi. Si vous faites bouillir, vous perdrez les propriétés médicinales de votre mélange. On utilise seulement de l'eau bouillante pour les racines et les graines qui sont plus coriaces. On parle alors de décoction.

Il est délicat ici de conseiller des plantes ou des élixirs, car ces remèdes sont réellement efficaces lorsqu'ils sont élaborés en tenant compte de renseignements tels que la médication actuelle, la personnalité, l'alimentation, l'état émotionnel particulier relié à l'anxiété, etc.

Si vous souhaitez utiliser les plantes médicinales, il est préférable de demander conseil afin d'éviter tout désagrément.

Je me souviens d'une cliente à qui j'avais suggéré une infusion composée de plusieurs plantes médicinales pour apaiser ses crises d'angoisse alors qu'elle vivait une rupture amoureuse délicate. Un jour, elle fut tellement bouleversée émotionnellement qu'elle décida de multiplier le dosage que je lui avais recommandé par trois ! Il en résulta des nausées, des vertiges et une forte somnolence qui l'empêchèrent d'aller travailler, mais qui auraient pu avoir des conséquences bien pires si elle avait prolongé la prise d'un tel dosage. Naturel ne veut donc pas dire sans danger. Les plantes agissent plus lentement que les anxiolytiques benzodiazépines. Alors, il convient de leur laisser le temps de faire leur effet, en respectant la posologie et en assumant la responsabilité découlant du traitement que vous avez choisi.

Bien souvent, en cas de maladie, nous nous en remettons aveuglément ou presque à un professionnel de la santé. Nous lui donnons la responsabilité de nous guérir, comme si nous n'avions pas de pouvoir sur notre état. Pourtant, la maladie nous appartient et elle découle bien souvent de nos choix de vie. Il est du devoir de chacun, dans la limite de ses possibilités, de prendre du temps pour faire des gestes exprimant l'intention de se guérir, de participer à son bien-être, à une vie en santé. Trop souvent, se soigner est synonyme de prendre des pilules tout en conservant le même mode de vie. La guérison est d'autant plus favorisée qu'elle s'inscrit dans un partenariat nécessitant une implication personnelle.

Peut-être que les anciens, à l'origine de la médecine par les plantes, avaient mieux compris cela que nous. Ils entouraient leur pratique de la phytothérapie de rituels pour créer un espace de mise en condition stimulant la guérison, amenant ainsi la personne malade à faire des gestes particuliers, dont la répétition envoyait un message au corps, à l'inconscient, à elle-même. Des actions concrètes étaient faites pour lui donner les moyens de favoriser sa santé.

L'« ÉCOTHÉRAPIE »*

Alors que plus de la moitié de la population mondiale habite en ville – le dépeuplement des campagnes en témoigne –, un nouveau courant en psychologie considère que plusieurs des problèmes mentaux modernes, dont la dépression, le stress et l'anxiété, peuvent être attribués à l'aliénation croissante de la société vis-à-vis de la nature. Ainsi, dans cette optique, la perte de ce lien, de cette relation avec l'environnement originel se manifeste par des ressentis désagréables et toutes sortes de symptômes physiques.

L'étude menée par l'université d'Essex, dans l'est de l'Angleterre, et qui porte le nom d'*Écothérapie, l'agenda vert pour la*

---

* L'écothérapie, appelé aussi écopsychologie, est une théorie émise en 1995 par Théodore Roszak, professeur d'histoire, écrivain et sociologue américain. Elle repose sur le postulat que le bien-être de l'homme dépend de l'état de santé de son environnement naturel. Elle vise à synchroniser l'être humain avec la nature qui l'entoure, à développer sa présence par ses sens, de façon à mieux écouter et respecter ses propres rythmes biologiques.

santé mentale, a comparé sur des personnes dépressives les effets d'une promenade de trente minutes en campagne avec ceux d'une promenade de même durée dans un centre commercial. Les résultats font l'effet d'une gifle salutaire : « Dans la nature, le niveau de dépression a baissé pour 71 % des promeneurs et 90 % ont gagné en confiance. En comparaison, 22 % de ceux ayant évolué dans un centre commercial ont été davantage déprimés et seuls 45 % l'ont été moins. » L'étude a aussi mis en évidence que 50 % des personnes assignées au centre commercial étaient plus tendues et que 44 % ont ressenti une baisse de leur amour-propre !

Cette éventuelle nostalgie pour la nature peut se vérifier facilement, à partir du moment où la personne déprimée cherche à renouer un lien, qu'elle accorde plus d'importance à la place que peut occuper la nature dans son quotidien, de toutes les manières possibles et imaginables. Il s'agit de rétablir un équilibre entre un environnement créé par l'homme et celui que la planète propose. La nature offre donc, du moment que l'on s'y intéresse, une forme de thérapie antistress. Mais, au fait, savez-vous combien de temps par jour vous passez dehors, au grand air ? Dix, quinze, trente minutes ?

La nature éveille et oxygène notre corps et notre esprit tout en stimulant nos sens au travers de nombreuses senteurs, souvent propres à chaque saison. En prenant le temps d'être en relation avec la nature, nous pouvons redécouvrir tellement de choses qui sont propres à notre vie elle-même. Établir un contact avec la nature est un réel bienfait pour le corps et pour l'âme. Tous les moyens sont bons pour rétablir une relation avec elle du moment que l'on s'autorise un ralentissement ou un temps d'arrêt. Que ce soit par la contemplation d'un paysage, l'ajout de quelques plantes dans son appartement, la mise en place d'un aquarium et la découverte de son écosystème, la présence d'un animal de compagnie, quelques photos ou tableaux de paysages inspirants, apaisants, l'écoute de disques de relaxation reproduisant les bruits des éléments (l'eau, le feu, le vent), la relaxation devant un feu de foyer, l'écoute du ruissellement d'une petite fontaine évoquant la rivière de votre enfance, le geste de laisser la lumière naturelle entrer davantage par les fenêtres (en ouvrant les rideaux, en nettoyant plus souvent les fenêtres), etc.

Côtoyer régulièrement la nature favorise l'accès à un plus grand calme mental et aide à instaurer une tranquillité en soi, source de force intérieure. S'éloigner de la pollution sonore propre à de nombreuses villes peut aussi agir directement sur le stress résultant de l'agression auditive parfois omniprésente. La nature demeure donc, aujourd'hui, un des rares endroits où l'on peut se retirer dans un réel silence.

Certaines personnes vont plutôt se fixer un «défi nature» pour vivre une aventure en mer, en montagne ou dans les airs, et affronter ainsi les forces des éléments. Cette forme de thérapie d'aventure est particulièrement salutaire à toute personne ayant besoin de renforcer sa détermination à vivre, particulièrement lors de maladies telles que le cancer, l'asthme, etc. Ce défi avec la nature devient le reflet d'un défi avec soi et de la quête d'une réalisation, d'un accomplissement par rapport à quelque chose de plus grand que soi. Pour d'autres personnes, cela se concrétisera davantage par la réalisation d'un potager ou d'un jardin. Le plaisir de participer à un processus créateur du début à la fin et de voir l'évolution de la vie elle-même saura sans nul doute rebrancher l'être humain à l'essentiel, dans un monde où presque tout ce qui peut être inventé existe déjà afin de satisfaire les désirs les plus fous.

Après tout, qui n'a pas déjà savouré, au sommet d'une montagne, lors d'une promenade en forêt, ou en observant la voûte étoilée, un état de plénitude intérieure où le temps est comme suspendu, avec la sensation d'être relié à quelque chose de plus grand que soi et, simultanément, d'être totalement soi ?

3. DE L'ANXIÉTÉ AU MIEUX-ÊTRE

Comme vous pouvez vous en douter maintenant, l'anxiété, par le message qu'elle contient, vous montre souvent la voie à suivre pour accéder au mieux-être. Elle en constitue même, pour certaines personnes, le gardien. Je m'explique.

Imaginez que vous êtes un explorateur. Vous découvrez la planète Terre et vous commencez à parcourir les continents qui s'y trouvent tout en dessinant une carte du territoire. Cette carte du monde représente votre vision de ce que vous découvrez, votre perception de la réalité.

Un jour, l'explorateur que vous êtes achève son voyage et décide de s'établir quelque part, tenant pour acquis qu'il a achevé son exploration. Vous habitez alors dans un environnement que vous connaissez et qui vous offre un maximum de confort. C'est ce que j'appelle votre zone de sécurité. Dans cet espace, vous construisez votre bonheur en fonction d'objets et de personnes extérieurs à vous. Cette forme de bonheur a un prix, car elle nécessite une dépendance à tout ce qui est source de plaisir. Du fait que vous construisez ces liens dans votre zone de sécurité, vous en développez l'impression que tout ce qui s'y trouve est durable, permanent. Par exemple, vous commencez à croire que vous habiterez toute votre vie avec la même personne, ou que si vous changez d'emploi et que cela ne vous plaît pas, vous serez coincé pour le reste de vos jours. De cette perception découlent des attentes souvent exigeantes, irréalistes qui, lorsqu'elles ne sont pas satisfaites, engendrent toutes sortes d'émotions (dont l'anxiété) et de pensées désagréables. Cet attachement finit par vous emprisonner dans votre zone de confort, car s'il y a bien une chose dont on peut être sûr, et que le bouddhisme enseigne, c'est que rien n'est permanent dans la vie. Tout change, à chaque instant.

Aussi, pour suivre cette évolution naturelle, il est essentiel de cultiver votre capacité d'adaptation, votre flexibilité. Ainsi, vous pourrez élargir votre zone de confort et réactualiser les contours de votre carte du monde.

Concrètement, cela implique, à l'aide d'outils que vous avez expérimentés et qui fonctionnent dans votre vie, de développer un regard, une pensée et une attitude d'ouverture quant au changement. Demeurer conscient que ce qu'il y a de beau et de bon dans votre vie, tout comme ce qu'il y a de plus difficile, possède la même caractéristique : un début et une fin. Aussi, en gardant cela présent à l'esprit, l'explorateur en vous ne s'endort pas complètement et demeure ouvert aux changements qui se produisent. Vos langages intérieur et extérieur reflètent cette perception du monde en ne parlant pas dans l'absolu, mais plutôt à l'aide de mots qui reflètent votre compréhension de l'impermanence. Cela aura pour avantage de diminuer vos attentes vis-à-vis d'un emploi, de vos enfants, de votre partenaire et de vous-même. De même, l'anxiété qui découle de la réalisation ou non de vos désirs décroîtra. Vous serez ainsi plus en mesure d'apprécier les situations pour ce qu'elles sont, sans trop vous y attacher et vous développerez avec le temps une nouvelle attitude. Vous savourerez davantage le moment présent, tout en demeurant ouvert au changement. De cette capacité à accepter le changement et à vous y adapter, vous pourrez commencer à vous libérer des liens extérieurs dont dépendait votre bonheur. Parallèlement, vous développerez un lien avec vous-même, une connexion intérieure, qui sera source de mieux-être et qui puisera son énergie dans l'ouverture à la nouveauté, la curiosité de nouvelles occasions, à la vie elle-même. Vous demeurerez ainsi plus serein quant aux changements non désirés dans votre vie, car votre attitude, votre bien-être ne sera plus à l'extérieur, mais à l'intérieur de vous.

Le labyrinthe du bonheur

La quête du bonheur habite de nombreuses personnes et, malgré tous les progrès technologiques et une qualité de vie globalement plus confortable qu'il y a deux siècles, plusieurs ressentent un mal-être, un manque de souffle à leur vie et se sentent malheureux. Comme en témoignent les nombreux ouvrages en librairie sur le sujet, le bonheur suscite un intérêt croissant. Beaucoup de questions appellent des réponses, mais aboutissent souvent à de nouvelles interrogations. Alors, qu'est-ce que le bonheur ? Tout le monde peut-il être heureux, peu importe ce qu'il vit ? Quelles sont les conditions utiles à cet état tant désiré ? Autant de directions à explorer peuvent aboutir à des réponses multiples, à l'image de la diversité et de la complexité de l'être humain.

Loin de se résumer à une simple théorie ou à une formule magique, le bonheur est certainement une expérience personnelle à vivre, s'appuyant sur une philosophie de vie permettant d'appréhender les événements de la vie avec certaines qualités. Celles-ci peuvent varier d'une personne à l'autre, mais d'une manière générale, le courage, l'accueil, l'adaptation, l'humour, la compréhension, le lâcher-prise sont des atouts bien utiles dans le jeu de la vie.

Le bonheur se construit au sein de la vie elle-même, à son image. Aussi, loin d'être seulement le sommet de la montagne à gravir, il est la pente conduisant à la cime. Confondre l'importance du but avec l'importance du chemin parcouru revient à se priver de la joie qui jalonne le sentier et vous offre aussi un aperçu de votre aptitude au bonheur. Dans cette vision des choses, il semble que le bonheur réside davantage dans le verbe être que dans le verbe avoir, bien qu'un minimum de biens matériels me semble indispensable pour le savourer. C'est en incarnant le bonheur, en le vivant dans la succession d'instants présents qu'une sagesse s'installe en nous, que notre regard sur le monde et autrui s'ouvre, avec compassion et tolérance.

Le bonheur s'inscrit donc davantage dans une perception du monde au jour le jour qui se crée quotidiennement, tout en faisant partie d'une ligne directrice à moyen terme. Ainsi, vous maintenez en éveil votre capacité d'adaptation et vous vous offrez la possibilité d'être surpris par les imprévus en cours de route. Loin d'être un état de naïveté, comme certaines personnes pourraient le croire, le bonheur réside dans la conscience que la vie est ambivalente, qu'elle est à la fois joie et peine, plaisir et déplaisir, santé et maladie. Cependant, en demeurant certains que le chemin choisi est approprié à nos capacités, nous pourrons savourer les découvertes qui jalonneront notre parcours, et ce, malgré les obstacles et mauvaises surprises. Et, si l'itinéraire ne vous convient plus, soit vous faites fausse route, soit vous devenez votre propre ennemi en désirant tout avoir immédiatement, au lieu de vous souvenir que vous avez la vie entière pour profiter de tout ce qu'elle peut vous offrir. Cela ne vous rappelle-t-il pas quelqu'un ?

Courir sans cesse après le bonheur dans l'espoir, souvent illusoire, que vous serez pleinement heureux lorsque vous aurez enfin rencontré l'amour de votre vie, que vous trouverez le boulot idéal, que vous aurez un ventre plat ou des lèvres pulpeuses ne peut que vous conduire vers la souffrance. Rien n'est plus irréaliste que d'imaginer le bonheur comme un état idéal où toute souffrance a disparu, où chaque chose est comme vous désirez qu'elle soit. Les croyances au sujet du bonheur conditionnent des attentes utopiques et participent à créer votre malheur présent comme futur, en commençant par l'engendrer à l'intérieur de vous, dans votre esprit. Puis, un des chemins conduisant au bonheur pourrait bien être celui qu'empruntent les virus de la pensée qui circulent allègrement entre vos deux oreilles. Ces derniers portent des costumes aussi invisibles qu'anciens et peuvent avoir des apparences aussi variées que « je ne mérite pas cela », « le bonheur ne dure jamais », « je ne serai vraiment heureux que lorsque telle chose se produira », « je ne vaux rien », « je n'y arriverai jamais », etc. Il est certain qu'en pensant ainsi, vous créerez davantage votre malheur que votre bonheur. Certes, il est plus facile de raisonner ainsi. Cela exige moins de courage, d'observation de soi et de vigilance, mais à quel prix ? La souffrance, le malheur, la dépression, l'anxiété...

Prendre son bonheur en main implique de se prendre en main soi-même, aujourd'hui et maintenant, ne serait-ce qu'en commençant par modifier une pensée, par un petit pas. Le bonheur étant aussi contagieux qu'un sourire peut circuler d'un visage à un autre, modifier les virus de la pensée fera boule de neige en modifiant progressivement votre conception du bonheur. Remettre en question votre perception de la montagne influencera votre relation avec vous-même, votre jugement, vos comportements, votre énergie à aller de l'avant et vos relations avec autrui. La montagne devenant la colline puis le caillou.

Apprendre à être heureux implique de cesser de croire que ce que nous pensons est toujours vrai, mais qu'il s'agit plutôt d'une hypothèse à valider dans des expériences variées. Il est préférable de définir un cadre dans lequel elle a de fortes chances de devenir une vérité, sans nécessairement couler celle-ci dans le béton et se dire que vous avez réussi, que vous êtes tranquille jusqu'à la fin de vos jours. S'il y a bien une chose utile dont vous pourriez être sûr pour rester branché au bonheur, c'est que vous ne pouvez pas tenir une vérité pour acquise ! Vous découvrirez ainsi par vous-même, et pour vous, ce qui est vrai et ne l'est pas, quand et comment. Vous gagnerez en sagesse, en connaissance de vous. Vous développerez une sagesse puisée dans vos expériences de vie et qui servira de fondation à la construction de votre bonheur.

Parfois, le passé interfère dans le présent. Une situation vient « nous chercher émotionnellement » en nous rappelant ce qui s'est produit et risque, soi-disant, de se reproduire. Dites « stop » à cela. Affirmez haut et fort dans votre esprit que vous prenez les choses en main pour créer plus de bonheur dans votre vie. Trouvez des fusibles qui vous empêcheront d'alimenter des pensées en lien avec vos émotions passées et qui pourraient se renforcer en s'appuyant sur la situation présente. Le bonheur, c'est peut-être savoir vivre le présent en apprenant à entrer en vous par l'observation, à chaque instant, de ce qui vous habite et compose votre compréhension de ce que vous vivez. Cet état ne peut être atteint sans un réel et ferme engagement de rester éveillé à ce qui se passe en vous, sans jugement ni condamnation, mais plutôt en accueillant ce qui est.

À chacun son chemin du bonheur. Il consiste à trouver l'équilibre entre la peur d'être humain et la merveille de l'être.

ÉPILOGUE

En guise de conclusion, je souhaiterais partager avec vous quelques pensées qui, je l'espère, sauront vous accompagner durant certains défis qui jalonneront votre route, pour vous aider à mieux grandir à leur contact.

La vie n'est qu'incertitude.

Ne cherchez pas à vous sécuriser en tentant de contrôler votre avenir. Vous n'avez un réel contrôle que sur vous-même.

Voyez la vie comme une aventure riche en potentialités afin d'apprendre à intégrer l'incertitude.

Cherchez la joie de découvrir.

Apprenez à aimer l'incertitude dans laquelle les événements surviennent pour découvrir l'intense satisfaction, la paix intérieure cachée au cœur du mouvement de la vie.

Apprenez à grandir au fil des événements en prenant les choses comme elles viennent.

Cultivez le doute, créateur de possibilités, et délaissez les attentes.

Cessez de prévoir le déroulement des événements,
en abandonnant les attentes de résultats,
au profit du chemin parcouru.

Croyez que vous avez du pouvoir sur votre bien-être.

Le courageux n'est pas celui qui n'a pas peur,
mais celui qui agit malgré sa peur.

Soyez votre meilleur ami, non votre pire ennemi.

REMERCIEMENTS

En 2007, alors que j'écrivais ma première chronique, la plume hésitante, si l'on m'avait dit qu'un jour je publierais un livre, mon esprit serait resté quelque peu sceptique. Pourtant, c'est aujourd'hui chose faite. Mon goût pour l'écriture combiné avec l'intérêt pour mon travail d'un nombre croissant de lecteurs et de clients ont semé en moi l'audace de me lancer dans cette aventure.

D'ailleurs, je tiens à exprimer ma reconnaissance à tous ceux que j'ai eu le privilège de guider dans leur processus de libération de troubles anxieux. Ils m'ont tant appris. Ce livre leur est dédié.

De plus, je souhaite particulièrement remercier mon amie et ma collègue, Pascale Piquet, dont le parcours et la passion m'inspirent continuellement, ainsi que tous mes amis qui ont contribué, par leur présence dans ma vie, à enrichir mes réflexions.

Au docteur Édouard Beltrami, médecin psychiatre et professeur honoraire à l'Université du Québec à Montréal, j'exprime ma vive reconnaissance pour son apport au chapitre concernant le traitement de l'anxiété par les anxiolytiques.

Puis, je remercie ma famille pour toute l'anxiété que mon audace de vivre a pu lui occasionner !

BIBLIOGRAPHIE

- Ashner, Laurie, et Mitch Meyerson. *L'insatisfaction chronique*, Sciences et Culture, 2000.
- Britan, Marc. *Il n'y a pas de secret*, Montréal, Les Intouchables, 2007.
- Davis, Deanna. *La loi de l'attraction en action*, ADA, 2010.
- Dilts, Robert. *Changer les systèmes de croyances avec la PNL*, InterÉditions, 2006.
- Étude menée par l'université d'Essex (Angleterre). « Écothérapie, l'agenda vert pour la santé mentale », 2007.
- Kourilsky, Françoise. *Du désir au plaisir de changer*, Dunod, 1999.
- Krishnamurti. *Se libérer du connu*, Londres, Stock, 1994.
- Ready, Romilla, et Kate Burton. *La PNL pour les nuls*, First, 2006.
- Watzlawick, Paul, John Weakland et Richard Fisch. *Changements, paradoxes et psychothérapie*, Le Seuil, 1975.

Québec, Canada
2012

Imprimé sur du papier Silva Enviro 100% postconsommation
traité sans chlore, accrédité ÉcoLogo et fait à partir de biogaz.